키즈 사고력 수학 전문가가 만든

원리셈

10까지의 수 세어 쓰기

사고력 수학 전문가가 만든 **연산 교재**
원리로부터 **실력**까지 **연산**의 **완성!!**
다양한 형태의 문제로 재미있게 연습하는 **원리셈**

지은이의 말

수학은 원리로부터

수학은 구체물의 관계를 숫자와 기호의 약속으로 나타내는 추상적인 학문입니다. 이 점이 아이들이 수학을 어려워하는 가장 큰 이유입니다. 이러한 수학은 제대로 된 이해를 동반할 때 비로소 힘을 발휘할 수 있습니다. 수학은 어느 단계에서나 원리가 가장 중요합니다.

수학 교육의 변화

답을 내는 방법만 알아도 되는 수학 교육의 시대는 지나고 있습니다. 연산도 한 가지 방법만 반복 연습하기 보다 다양한 풀이 방법이 중요합니다. 교과서는 왜 그렇게 해야 하는지 가르쳐 주고 다양한 방법을 생각하도록 하지만, 학생들은 단순하게 반복되는 연습에 원리는 잊어버리고 기계적으로 답을 내다보니 응용된 내용의 이해가 부족합니다.

연산 학습은 꾸준히

유초등 학습 단계에 따라 4권~6권의 구성으로 매일 10분씩 꾸준히 공부할 수 있습니다. 원리와 다양한 방법의 학습은 그림과 함께 재미있게, 연습은 다양하게 진행하되 마무리는 집중하여 진행하도록 했습니다. 부담 없는 하루 학습량으로 꾸준히 공부하다 보면 어느새 연산 실력이 부쩍 늘어난 것을 알 수 있습니다.

개정판 원리셈은

동영상 강의 확대/초등 고학년 원리 학습 과정 강화 등으로 원리와 개념, 계산 방법을 더 쉽게 이해할 수 있도록 하고, 연습을 강화하여 학습의 완성도를 더했습니다.

학부모님들의 연산 학습에 대한 고민이 원리셈으로 해결되었으면 하는 바람입니다.

지은이 천종현

원리셈의 특징

원리셈의 학습 구성

한 권의 책은 매일 10분 / 매주 5일 / 4주 학습

원리셈의 시나브로 강해지는 학습 알고리즘

키즈 원리셈은

시작은 원리의 이해로부터, 마무리는 충분한 연습과 성취도 확인까지

체계적인 학습 구성

쉽게 이해하고 스스로 공부!
실수가 많은 부분은 별도로 확인하고 연습!
주제에 따라 실전을 위한 확장적 사고가 필요한 내용까지!
원리로 시작되는 단계별 학습으로 곱셈구구마저 저절로 외워진다고 느끼도록!

원리셈 전체 단계

키즈 원리셈

5·6세	
1권	5까지의 수
2권	10까지의 수
3권	10까지의 수 세어 쓰기
4권	모아 세기
5권	빼어 세기
6권	크기 비교와 여러 가지 세기

6·7세	
1권	10까지의 더하기 빼기 1
2권	10까지의 더하기 빼기 2
3권	10까지의 더하기 빼기 3
4권	20까지의 더하기 빼기 1
5권	20까지의 더하기 빼기 2
6권	20까지의 더하기 빼기 3

7·8세	
1권	7까지의 모으기와 가르기
2권	9까지의 모으기와 가르기
3권	덧셈과 뺄셈
4권	10 가르기와 모으기
5권	10 만들어 더하기
6권	10 만들어 빼기

초등 원리셈

1학년	
1권	받아올림/내림 없는 두 자리 수 덧셈, 뺄셈
2권	덧셈구구
3권	뺄셈구구
4권	□ 구하기
5권	세 수의 덧셈과 뺄셈
6권	(두 자리 수)±(한 자리 수)

2학년	
1권	두 자리 수 덧셈
2권	두 자리 수 뺄셈
3권	세 수의 덧셈과 뺄셈
4권	곱셈
5권	곱셈구구
6권	나눗셈

3학년	
1권	세 자리 수의 덧셈과 뺄셈
2권	(두/세 자리 수)×(한 자리 수)
3권	(두/세 자리 수)×(두 자리 수)
4권	(두/세 자리 수)÷(한 자리 수)
5권	곱셈과 나눗셈의 관계
6권	분수

4학년	
1권	큰 수의 곱셈
2권	큰 수의 나눗셈
3권	분모가 같은 분수의 덧셈과 뺄셈
4권	소수의 덧셈과 뺄셈

5학년	
1권	혼합 계산
2권	약수와 배수
3권	분모가 다른 분수의 덧셈과 뺄셈
4권	분수와 소수의 곱셈

6학년	
1권	분수의 나눗셈
2권	소수의 나눗셈
3권	비와 비율
4권	비례식과 비례배분

키즈 원리셈의 단계별 학습 목표

초등학교 입학 준비는 키즈 원리셈으로!!

키즈 원리셈 단계를 고를 때는 아이의 배경지식에 따라 아래의 학습 목표를 참고하세요.

5·6세 단계

수와 연산을 처음 접하는 아이들을 위한 단계
수를 익히고, 덧셈, 뺄셈을 이해
덧셈, 뺄셈 기호는 나오지 않지만, 덧셈, 뺄셈의 상황을 그림으로 제시
필기를 최소화 / 붙임 딱지 이용
매주 마지막 5일차에는 재미있게 사고력 키우기 "사고력 팡팡 "

6·7세 단계

10까지의 수를 알지만 덧셈, 뺄셈을 처음 하는 아이들을 위한 단계
1에서 20까지의 수를 익히면서 더하기 빼기 1, 2, 3
수를 똑바로 세면 덧셈, 거꾸로 세면 뺄셈이라는 것을 이해하고 연산에 이용
수 세기를 먼저 배운 후, 같은 개념을 덧셈, 뺄셈에 적용
10이 넘어가는 덧셈도 받아올림을 하는 것이 아니라 수의 순서로 이해

7·8세 단계

한 자리 덧셈, 뺄셈의 개념은 있지만 연습이 필요한 아이들을 위한 단계
초등 1학년 1학기 교과에 해당하는 내용
가르기와 모으기를 충분하게 연습하면서 속도와 정확성을 올릴 수 있는 단계
1권~4권은 가르기와 모으기를 연습한 후 덧셈, 뺄셈의 개념으로 확장하여 연습
5권은 받아올림, 6권은 받아내림의 원리를 아주 쉽게 풀어놓아서 받아올림과 받아내림을 처음 배우는 아이들에게 강추!!

5·6세 단계 구성과 특징

수를 처음 공부하는 단계입니다. 붙임 딱지를 붙이고, 그림을 보고 구체물을 세면서 놀이하듯 수를 익힙니다.
총 6권 중 2권까지는 숫자를 연필로 쓰지 않고 붙임 딱지를 이용하고 3권부터는 숫자를 쓰도록 합니다.

원리

그림을 보며 붙임 딱지를 붙이거나 ○를 그리면서 자연스럽게 수를 셀 수 있도록 하였습니다.

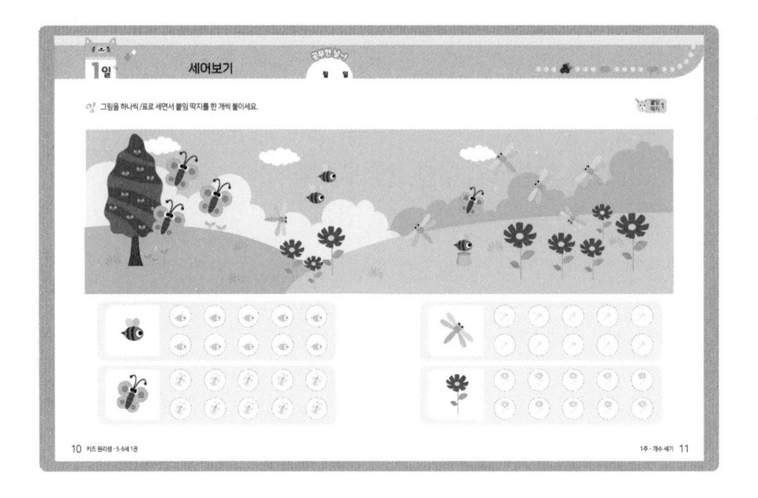

연습

손가락 세기, 엘리베이터의 버튼 붙이기 등 아이가 생활 속에서 쉽게 떠올릴 수 있는 소재들을 활용하여 다양하게 공부합니다.

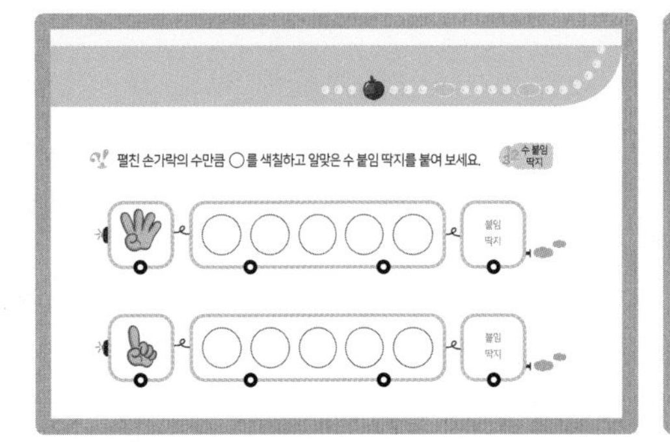

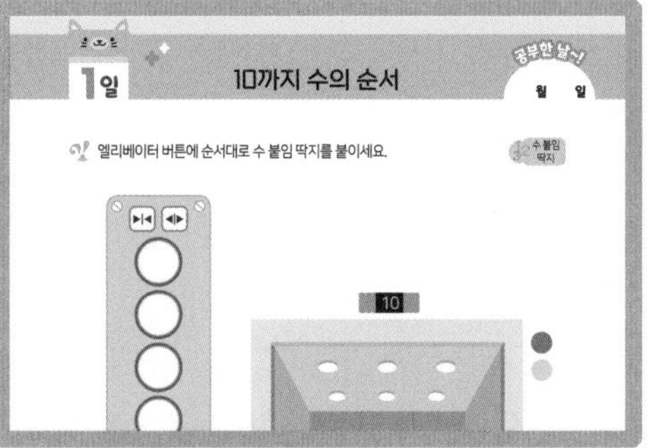

사고력 팡팡

매주의 마지막 5일차는 재미있게 사고력을 키울 수 있는 사고력 팡팡을 진행합니다. 수를 처음 배우는 단계이므로 어려운 내용보다는 직관적이고 재미있게 해결할 수 있도록 구성하였습니다.

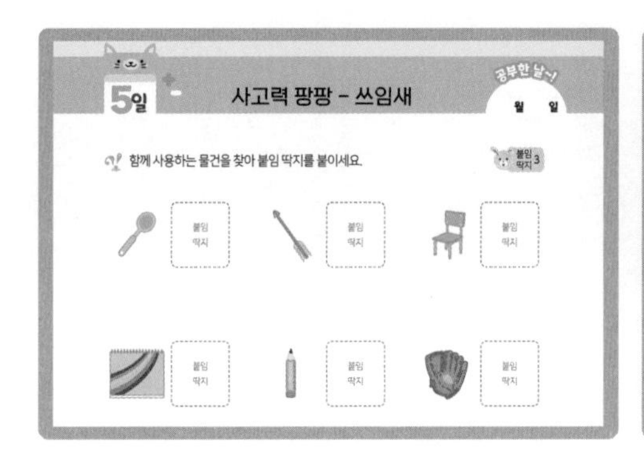

붙임 딱지

수를 처음 배우는 아이들이 붙임 딱지를 붙이면서 재미있게 수를 익힐 수 있도록 하였습니다.

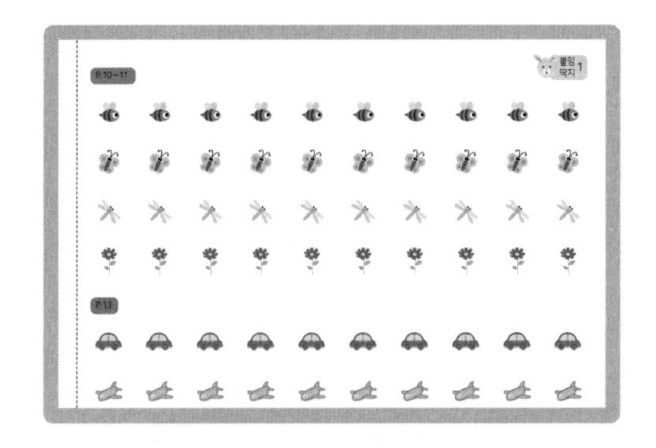

성취도 평가

개념의 이해와 연산의 수행에 부족한 부분은 없는지 성취도 평가를 통해 확인합니다.

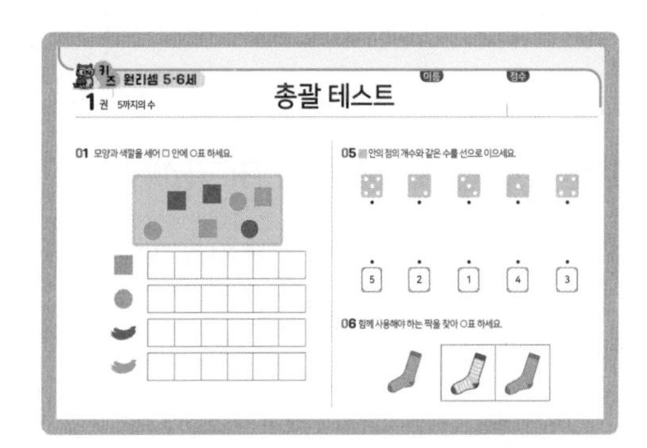

책의 사이사이에 학생의 학습을 돕기 위한 저자의 내용을 잘 이용하세요.

단원의 학습 내용과 방향

한 주차가 시작되는 쪽의 아래에 그 단원의 학습 내용과 어떤 방향으로 공부하는지를 설명해 놓았습니다.
학부모님이나 학생이 단원을 시작하기 전에 가볍게 읽어 보고 공부하도록 해 주세요.

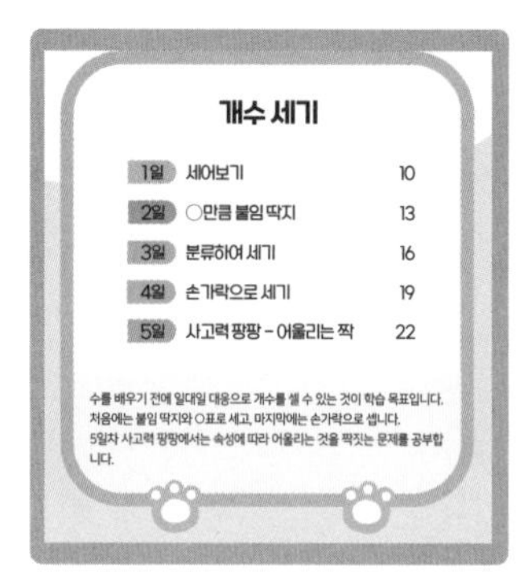

개수 세기

수를 배우기 전에 일대일 대응으로 개수를 셀 수 있는 것이 학습 목표입니다.
처음에는 붙임 딱지와 ○표로 세고, 마지막에는 손가락으로 셉니다.
5일차 사고력 팡팡에서는 속성에 따라 어울리는 것을 짝짓는 문제를 공부합니다.

이해를 돕는 저자의 동영상 강의

공부를 시작하기 전에 표지의 QR코드를 확인하세요. 책의 학습 흐름과 목표, 그리고 그동안 원리셈을 먼저 공부한 아이들이 겪은 어려움에 대한 대처 방안 등을 설명해 줍니다.

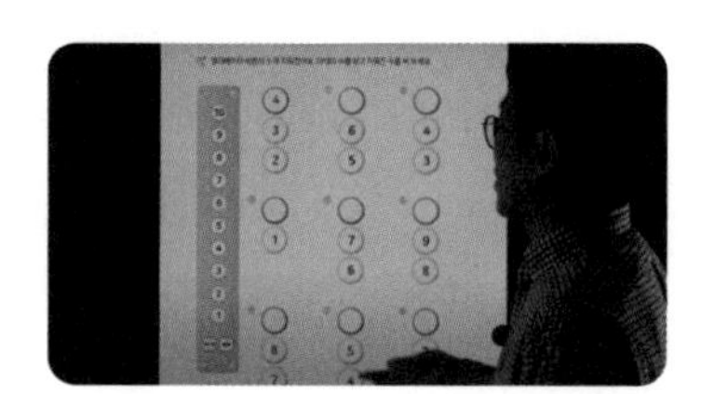

학습 Tip

간략한 도움글은 각 쪽의 아래에 있습니다.

천종현수학연구소 네이버 카페와 홈페이지를 활용하세요.

카페와 홈페이지에는 추가 문제 자료가 있고, 연산 외에서 수학 학습에 어려움을 상담 받을 수 있습니다.

네이버에서 천종현수학연구소를 검색하세요.

10까지의 수 쓰기

아이들은 처음 수를 쓰다 보면 뒤집어서 쓰기도 하고 숫자가 누워 있기도 합니다. 숫자를 바르게 쓰도록 강요할 필요는 없는 시기이므로 공부하는 과정에서는 의미를 알면 정답으로 해 주는 것이 좋습니다.

1일

0, 1, 2, 3, 4, 5 쓰기

공부한 날~! 월 일

수를 써 보세요.

0 (영)

0	0	0
0	0	0

1 (일, 하나)

1	1	1
1	1	1

2 (이, 둘)

2	2	2
2	2	2

수를 써 보세요.

3 (삼, 셋)

3	3	3
3	3	3

4 (사, 넷)

4	4	4
4	4	4

5 (오, 다섯)

5	5	5
5	5	5

접시 위에 있는 음식의 개수를 세어 빈칸에 쓰세요.

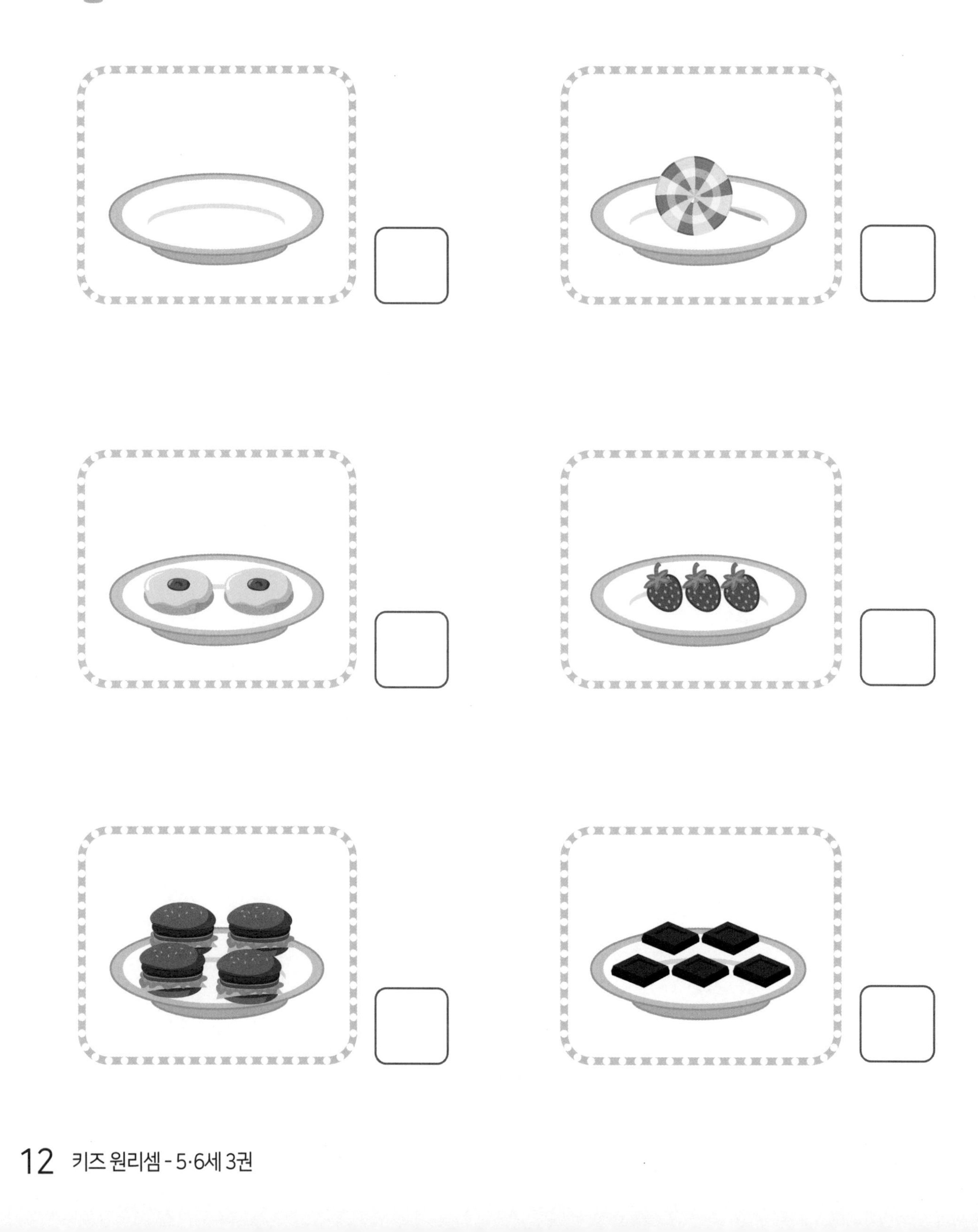

6, 7, 8, 9, 10 쓰기

수를 써 보세요.

6 (육, 여섯)

6	6	6
6	6	6

7 (칠, 일곱)

7	7	7
7	7	7

8 (팔, 여덟)

8	8	8
8	8	8

수를 써 보세요.

9 (구, 아홉)	9	9	9
	9	9	9

10 (십, 열)	10	10	10
	10	10	10

그림을 보고 알맞은 수를 써넣으세요.

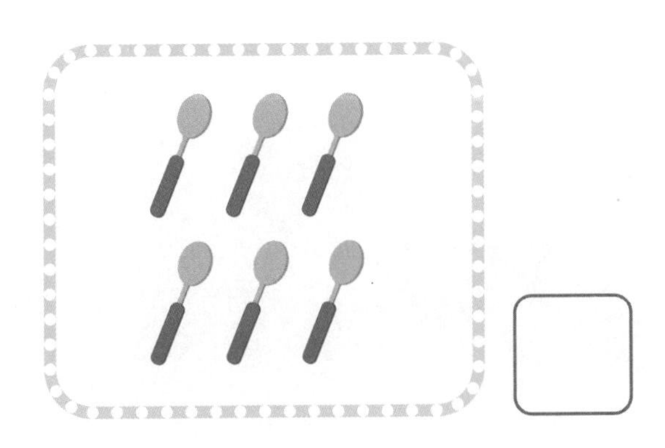

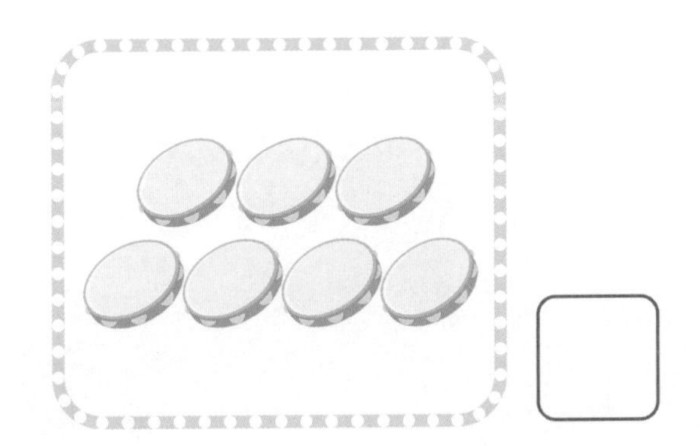

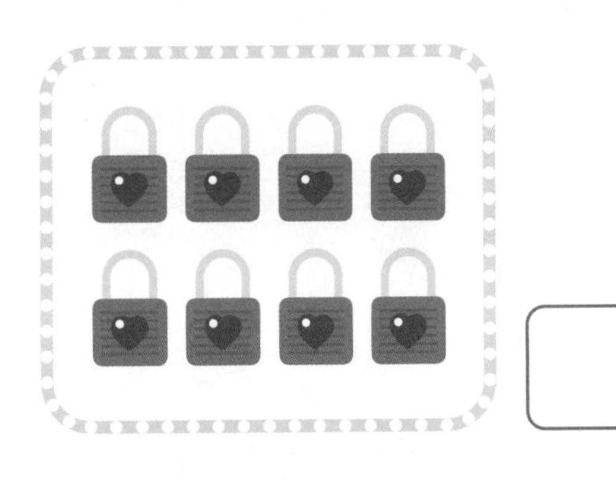

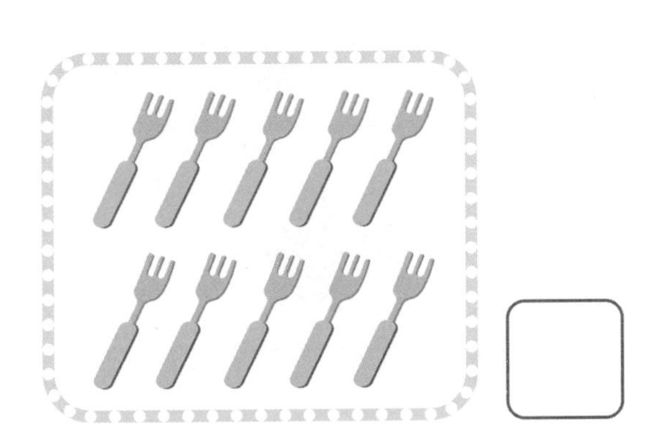

10까지의 수 쓰기

같은 그림에 수를 차례로 적어 개수를 세어 보세요.

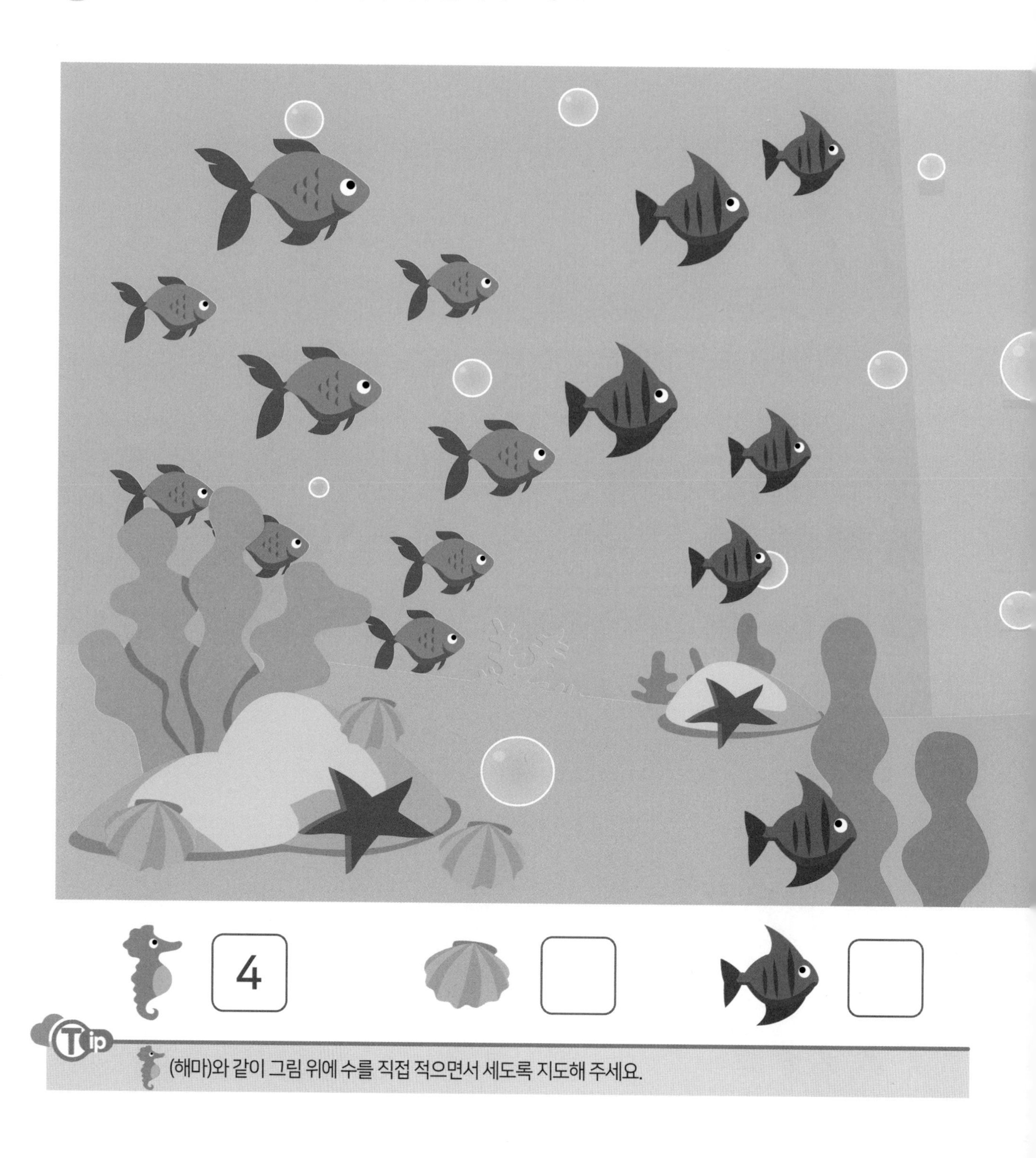

Tip (해마)와 같이 그림 위에 수를 직접 적으면서 세도록 지도해 주세요.

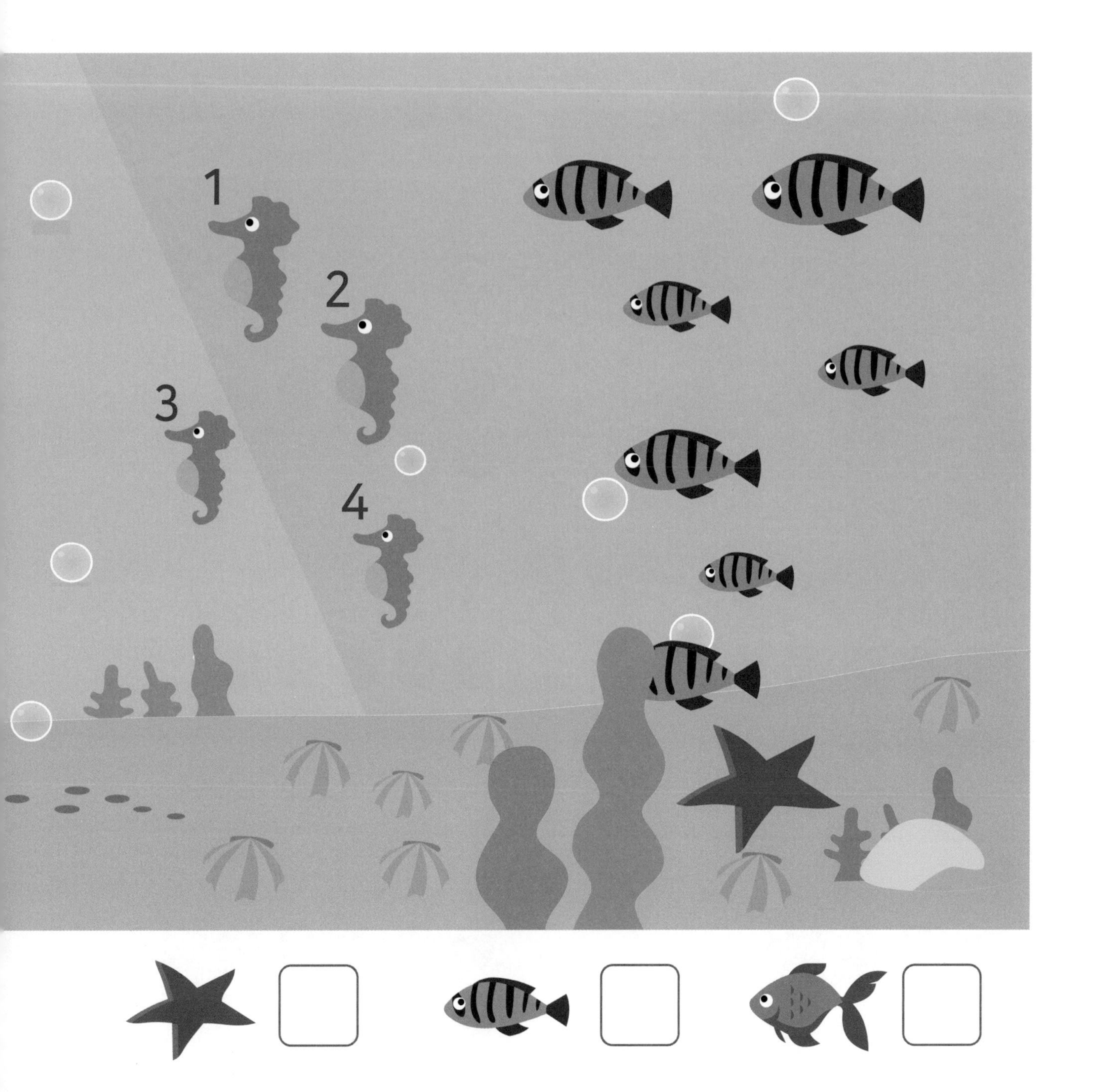
1
2
3
4

구슬을 세어 ◯ 안에 수를 쓰세요.

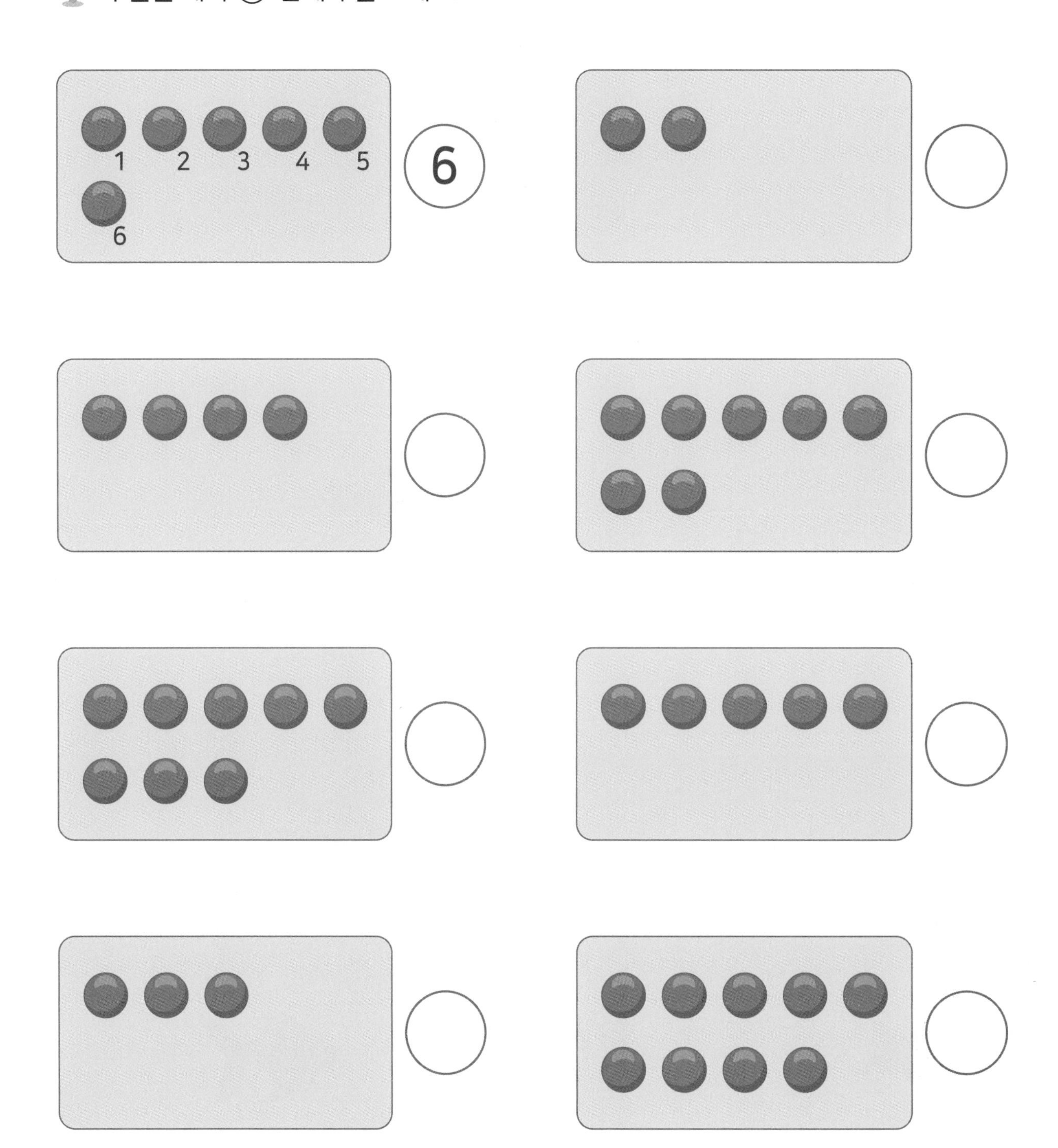

4일

잘못 쓴 수

월 일

수를 잘못 썼어요. 바르게 고치세요.

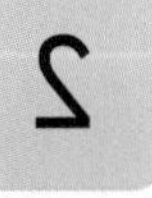

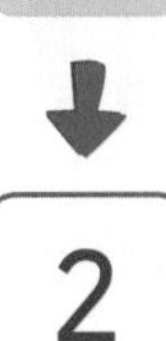

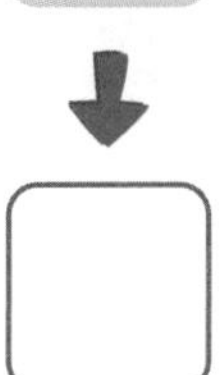

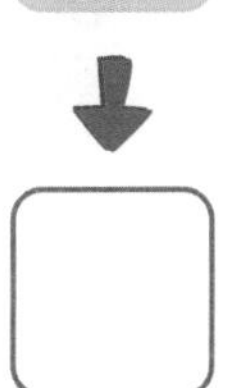

수를 잘못 센 것을 찾아 바르게 고치세요.

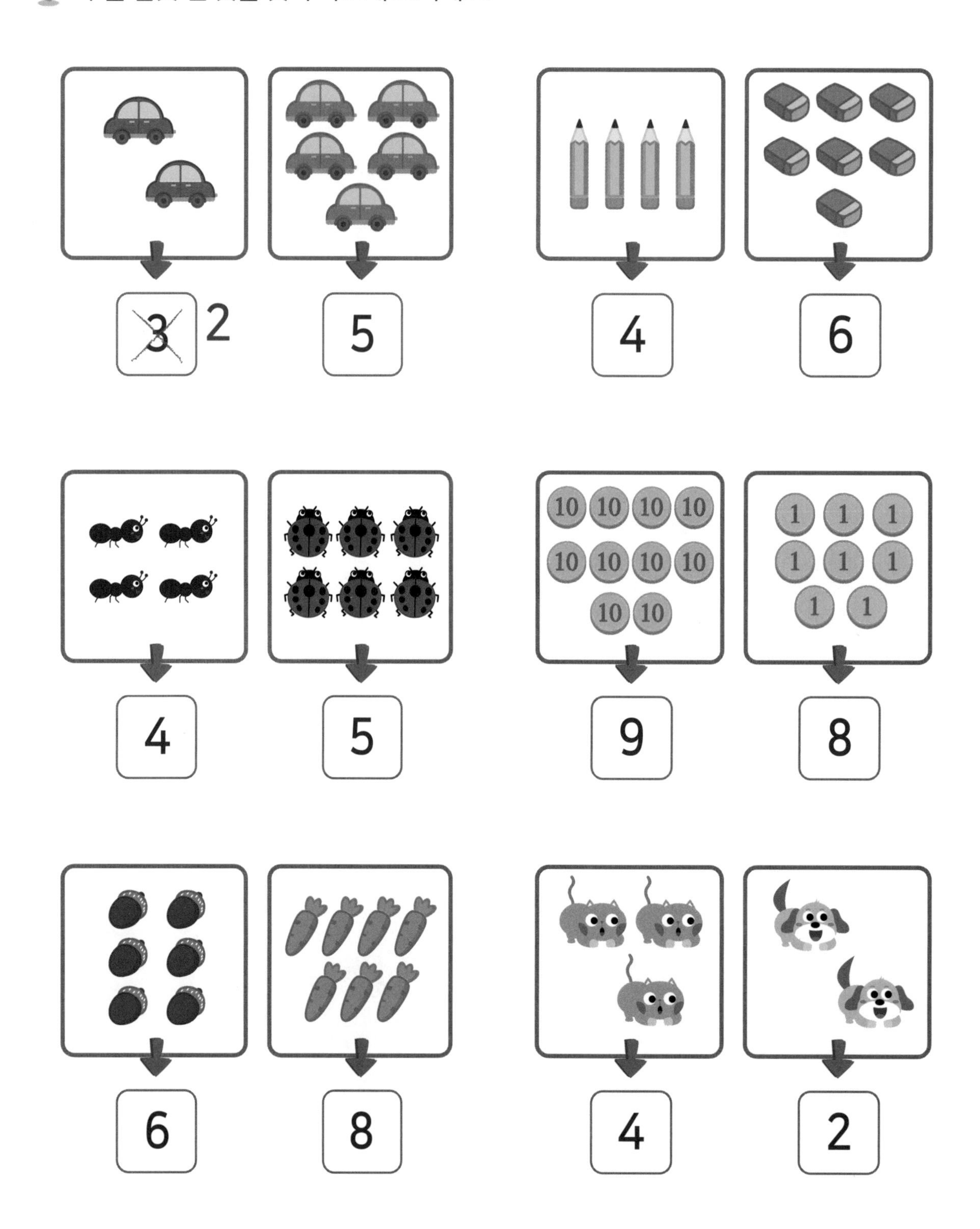

수를 잘못 센 것을 찾아 바르게 고치세요.

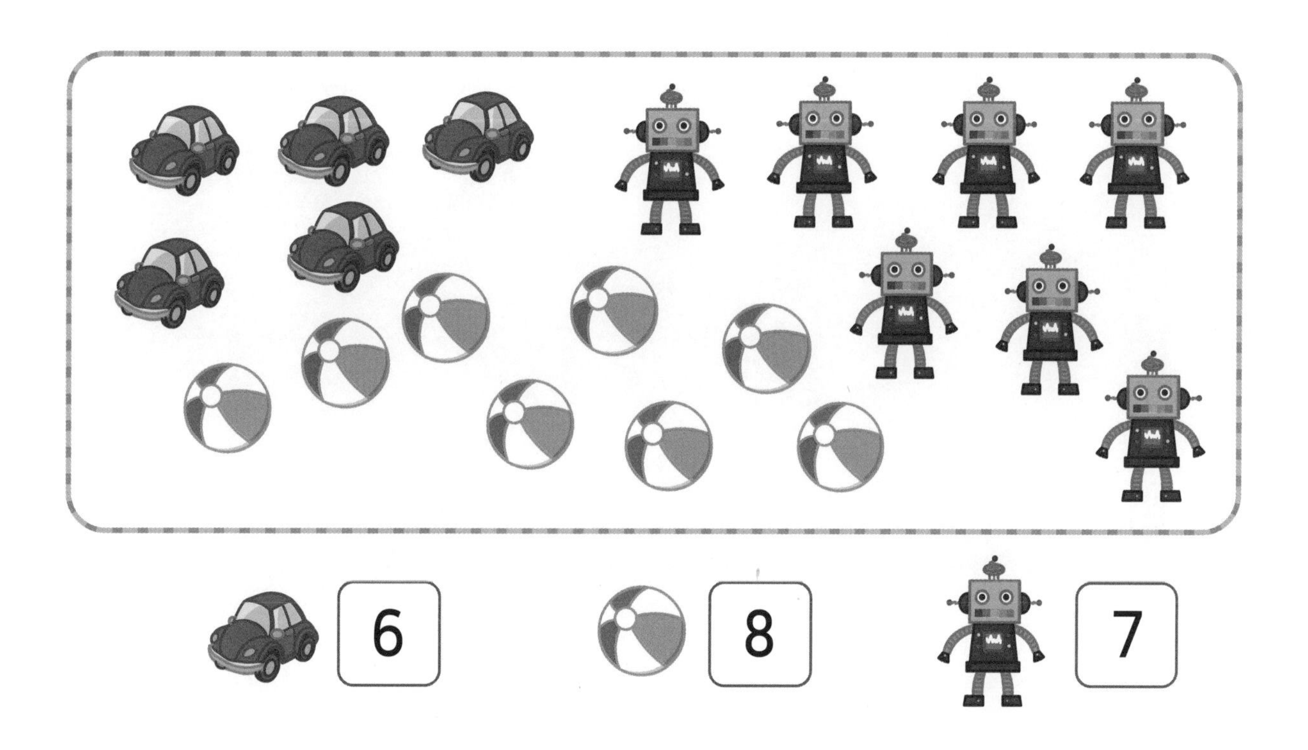

6 8 7

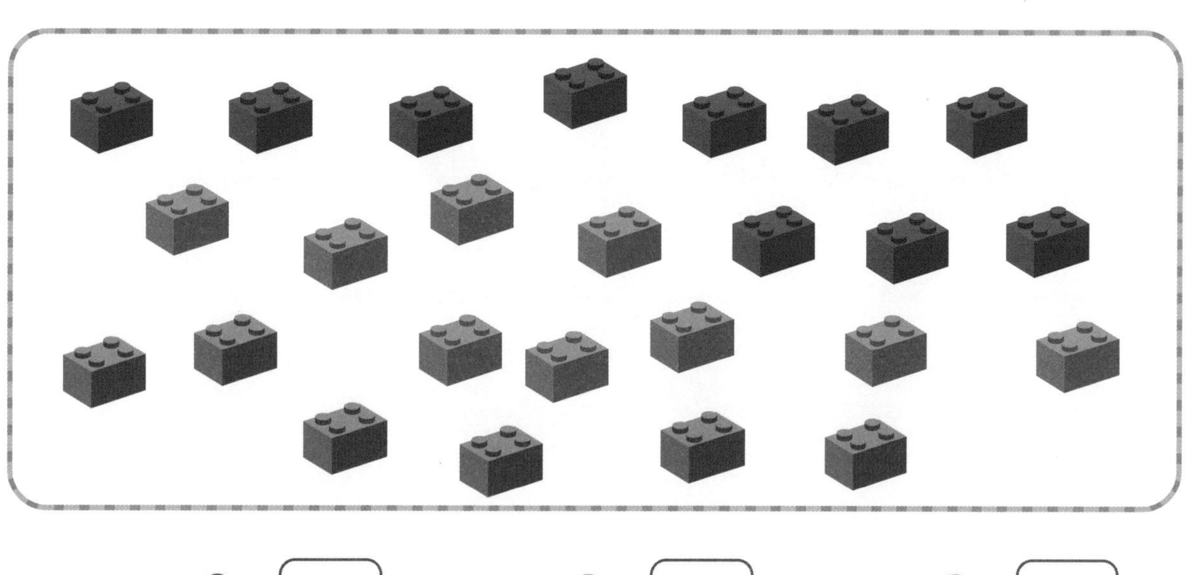

10 9 7

5일 사고력 팡팡 - 타일 붙이기

월 일

빈 곳에 알맞은 붙임 딱지를 붙이세요.

붙임
딱지

빈 곳에 알맞은 붙임 딱지를 붙이세요.

붙임 딱지 1

붙임 딱지

붙임 딱지

붙임 딱지

붙임 딱지

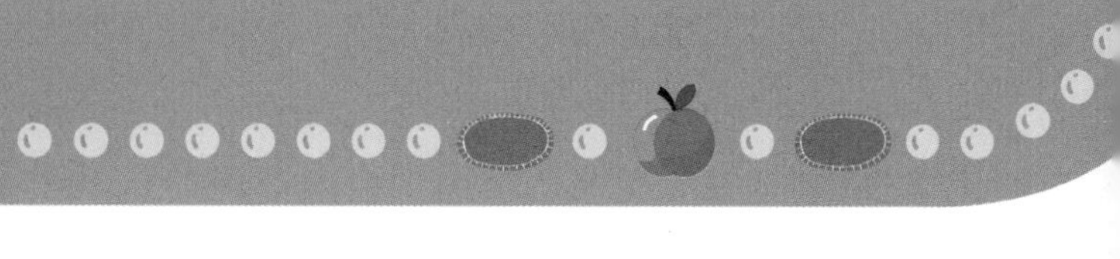

빈 곳에 알맞게 붙임 딱지를 붙이세요.

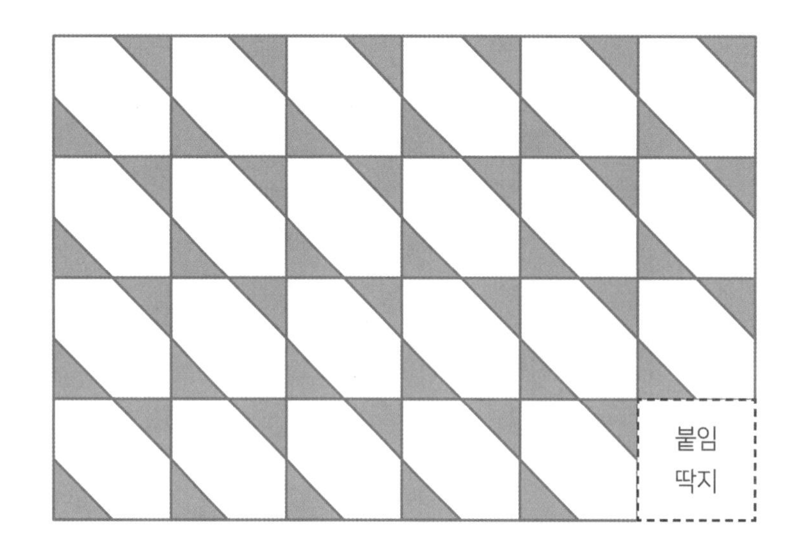

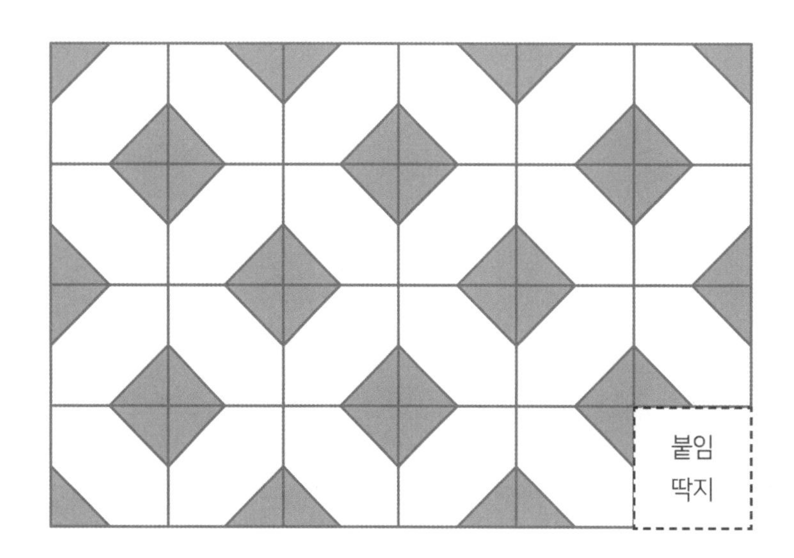

순서대로 수 세기

1에서 10까지의 수를 차례로 세어서 다양한 문제를 해결합니다. 정확하고 빠른 수 세기는 덧셈, 뺄셈을 배운 후 많은 도움이 됩니다.

순서대로 연결하기

열차가 가로 방향으로 놓이도록 책을 돌린 후, 열차가 순서대로 연결되도록 붙임 딱지를 붙이세요.

붙임 딱지 1

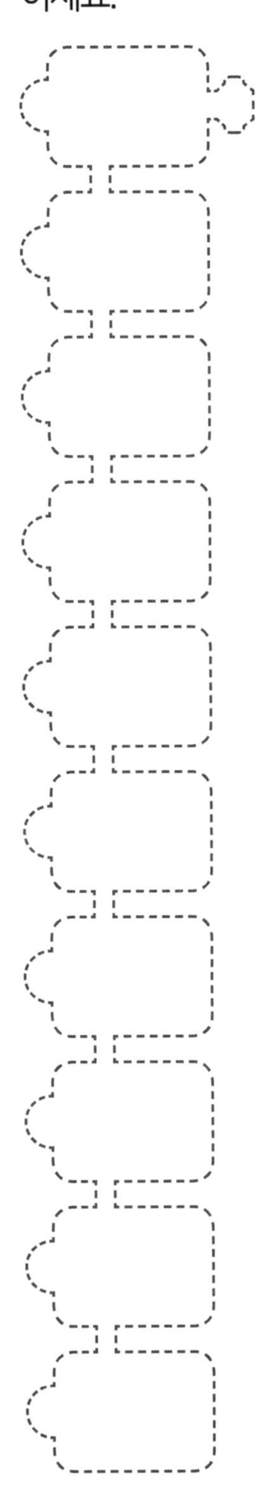

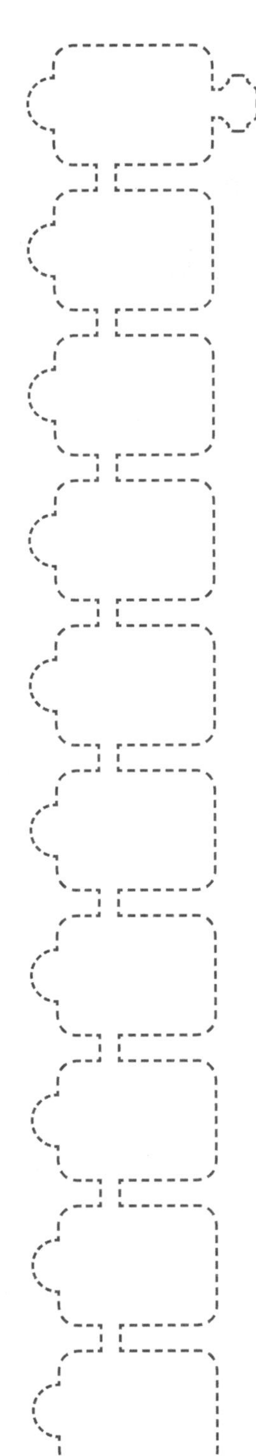

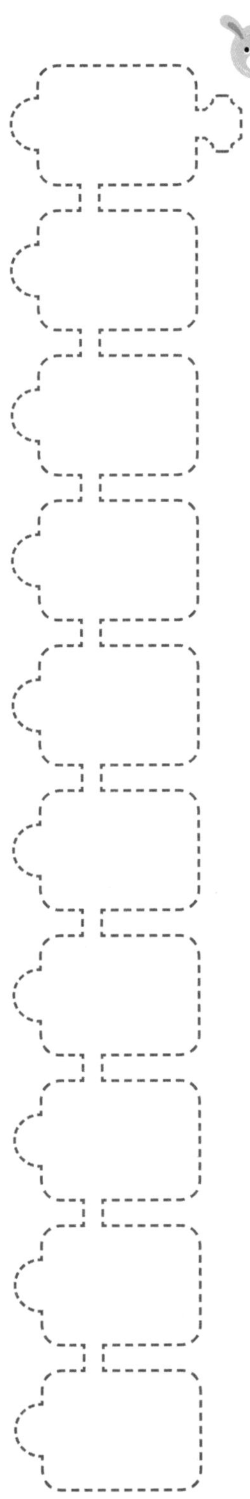

빈 곳에 알맞은 동물을 선으로 이으세요.

수가 차례로 이어지도록 선을 연결하세요.

2일 빠진 수 카드

1에서 10까지의 수 카드를 차례로 놓고 1장을 뺐습니다. 빠진 수를 □ 안에 쓰세요.

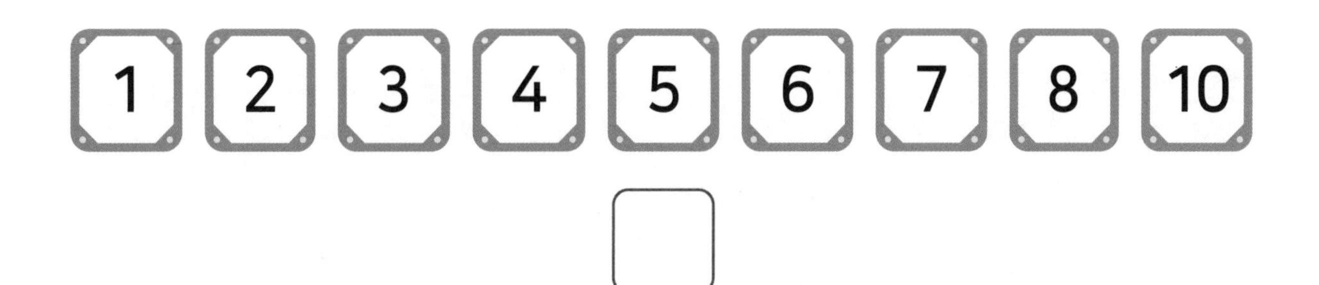

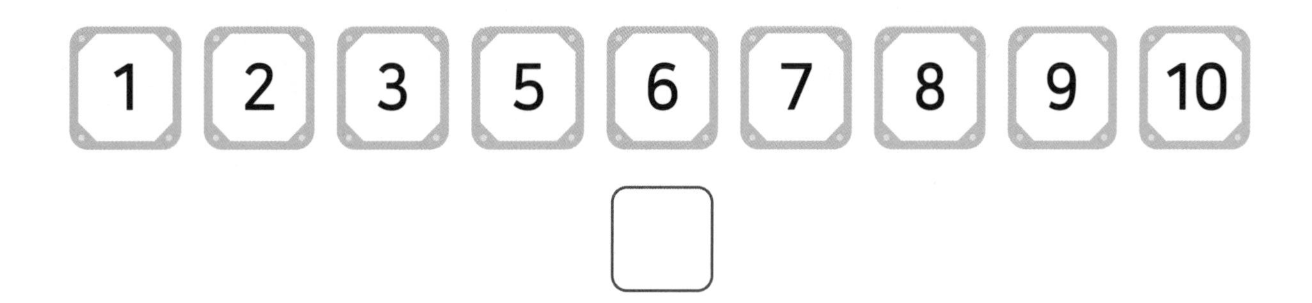

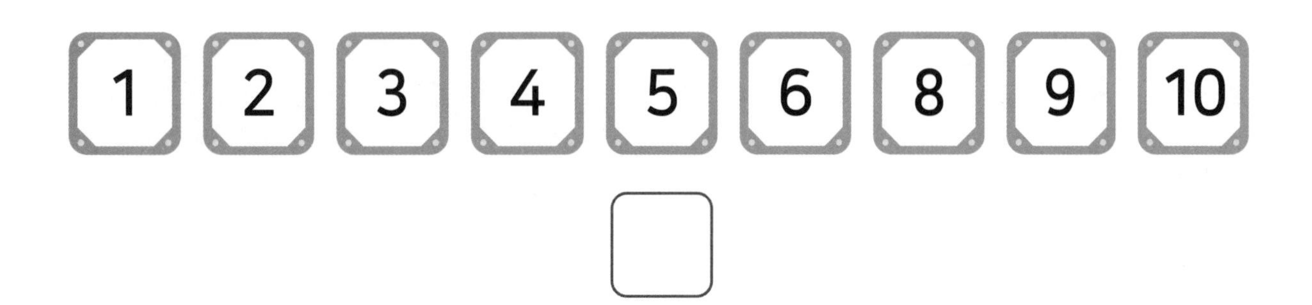

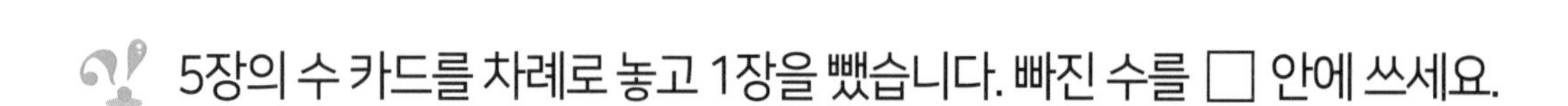

5장의 수 카드를 차례로 놓고 1장을 뺐습니다. 빠진 수를 □ 안에 쓰세요.

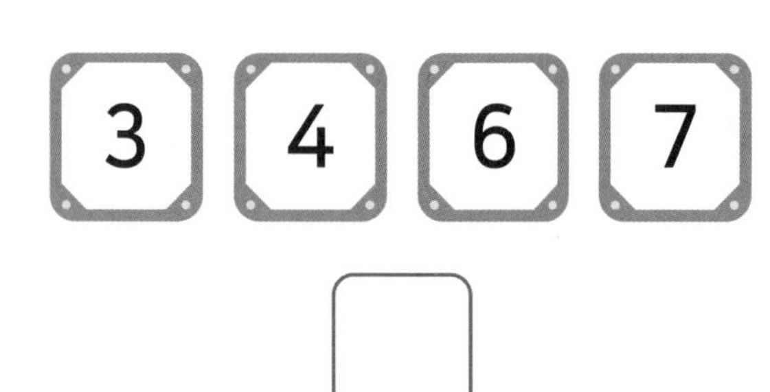

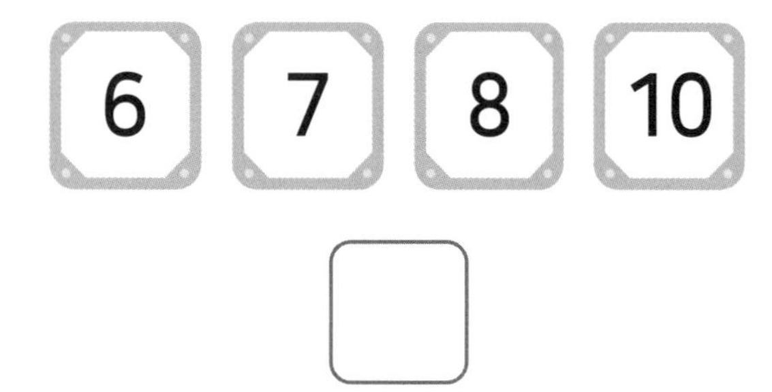

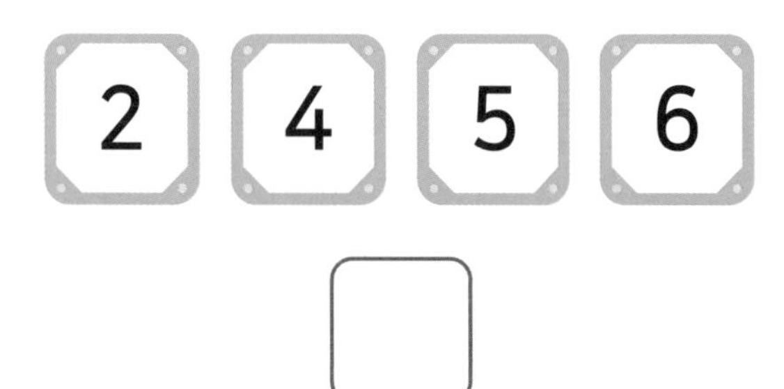

빠진 수 카드 없이 수가 차례로 놓인 것에 모두 ◯표 하세요.

2 3 4

7 8 10

4 5 8

1 3 5

6 7 8

3 6 9

1 3 4

4 5 6

다음 수

□ 안에 알맞은 수를 써넣으세요.

1	2	3	4	5	6	7	8	9	10

1 2 3 □

5 6 7 □

3 4 5 □

2 3 4 □

7 8 9 □

4 5 6 □

6 7 8 □

1 2 □

1 □

다음에 올 수에 ◯표 하세요.

빈 곳에 알맞은 수를 써넣으세요.

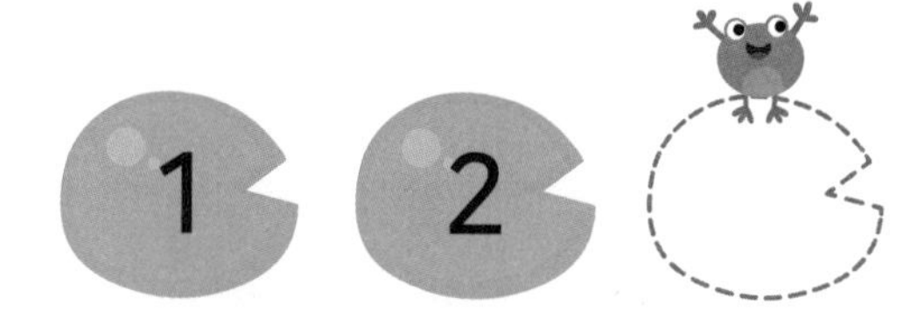

7 8

4일 여러 가지 수의 순서

빈 곳에 알맞은 붙임 딱지를 붙이세요.

	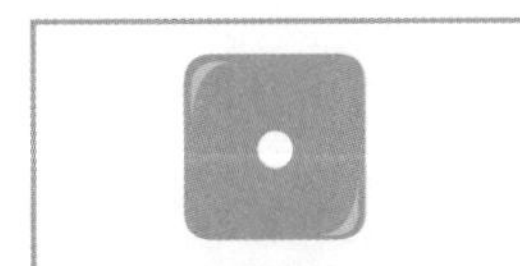	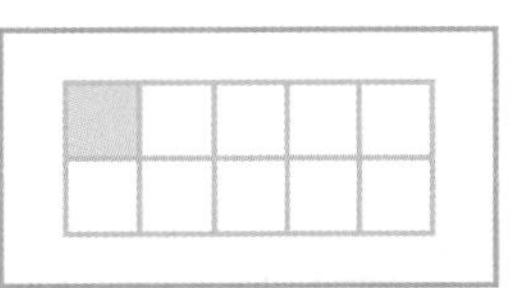	
	붙임 딱지	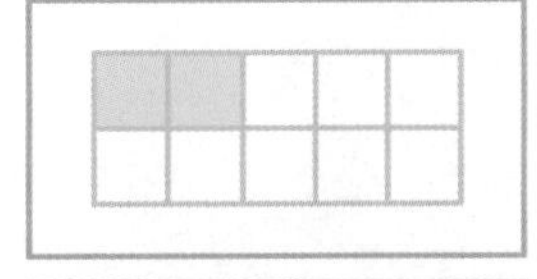	
붙임 딱지		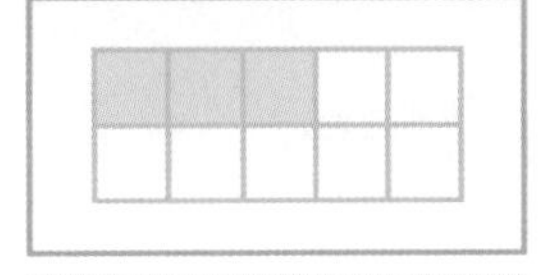	
		 붙임 딱지	
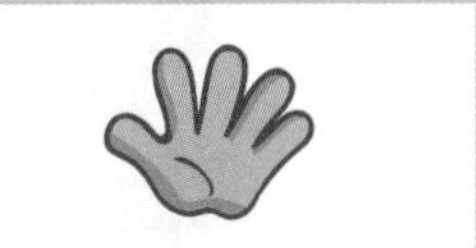		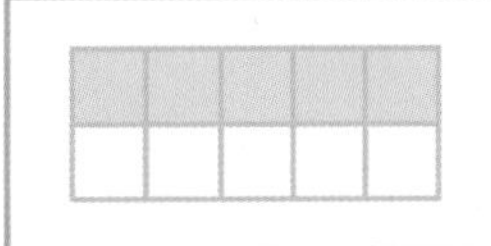	 붙임 딱지
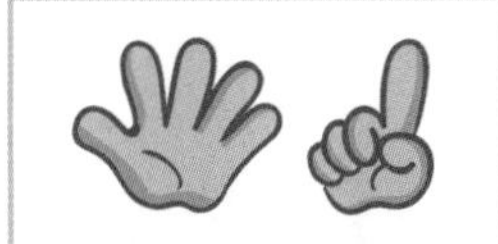		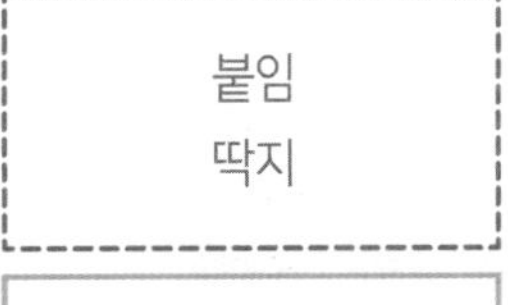 붙임 딱지	
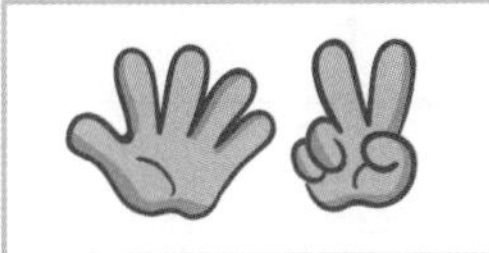	붙임 딱지	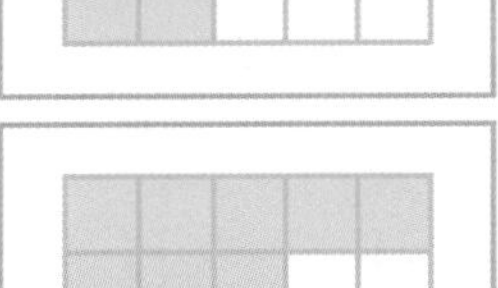	
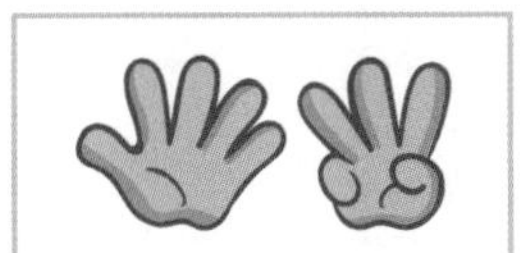			붙임 딱지
붙임 딱지		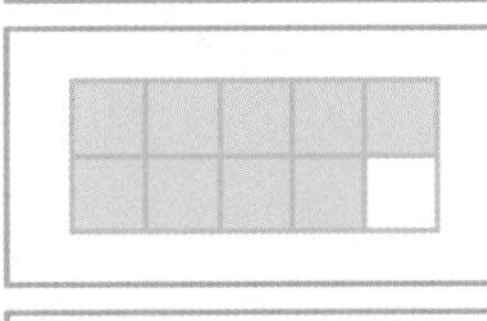	
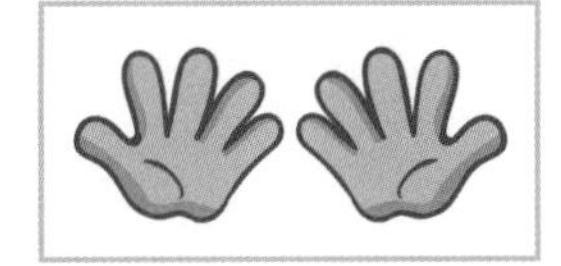	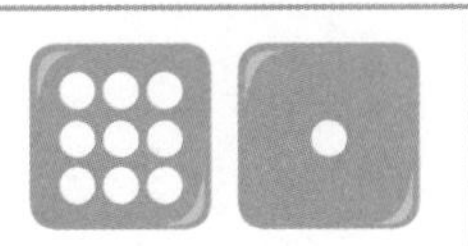	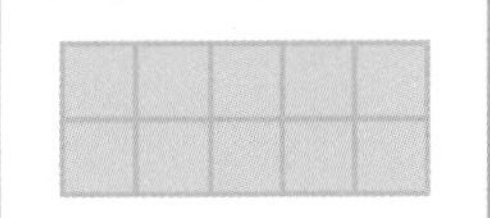	

1에서 10까지의 수를 순서대로 이어 집으로 가는 길을 그리세요.

1에서 10까지의 수를 순서대로 이어 집으로 가는 길을 그리세요.

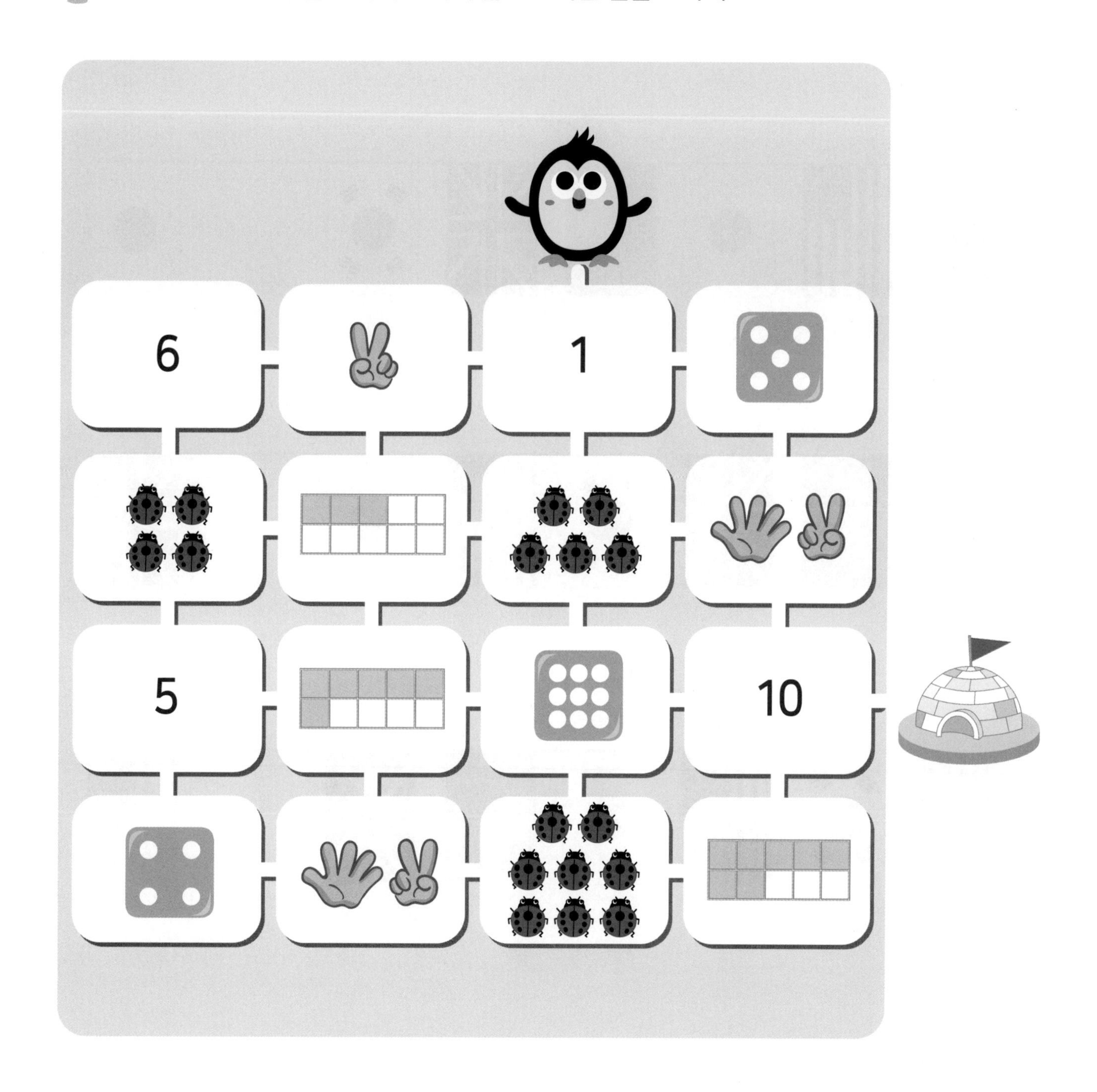

5일 사고력 팡팡 - 반복되는 규칙을 찾아요!

월 일

운동장이 여러 나라의 국기로 꾸며져 있습니다. 그런데 국기 3개가 떨어졌습니다. 제자리를 찾아 붙여주세요.

국기가 붙어 있는 순서를 관찰해서 문제를 해결할 수 있습니다. 이야기를 통해서 똑같은 것이 계속 또 나오는 것이 '반복'이라는 것을 알도록 해 주세요.

다음으로 알맞은 색깔에 ◯표 하세요.

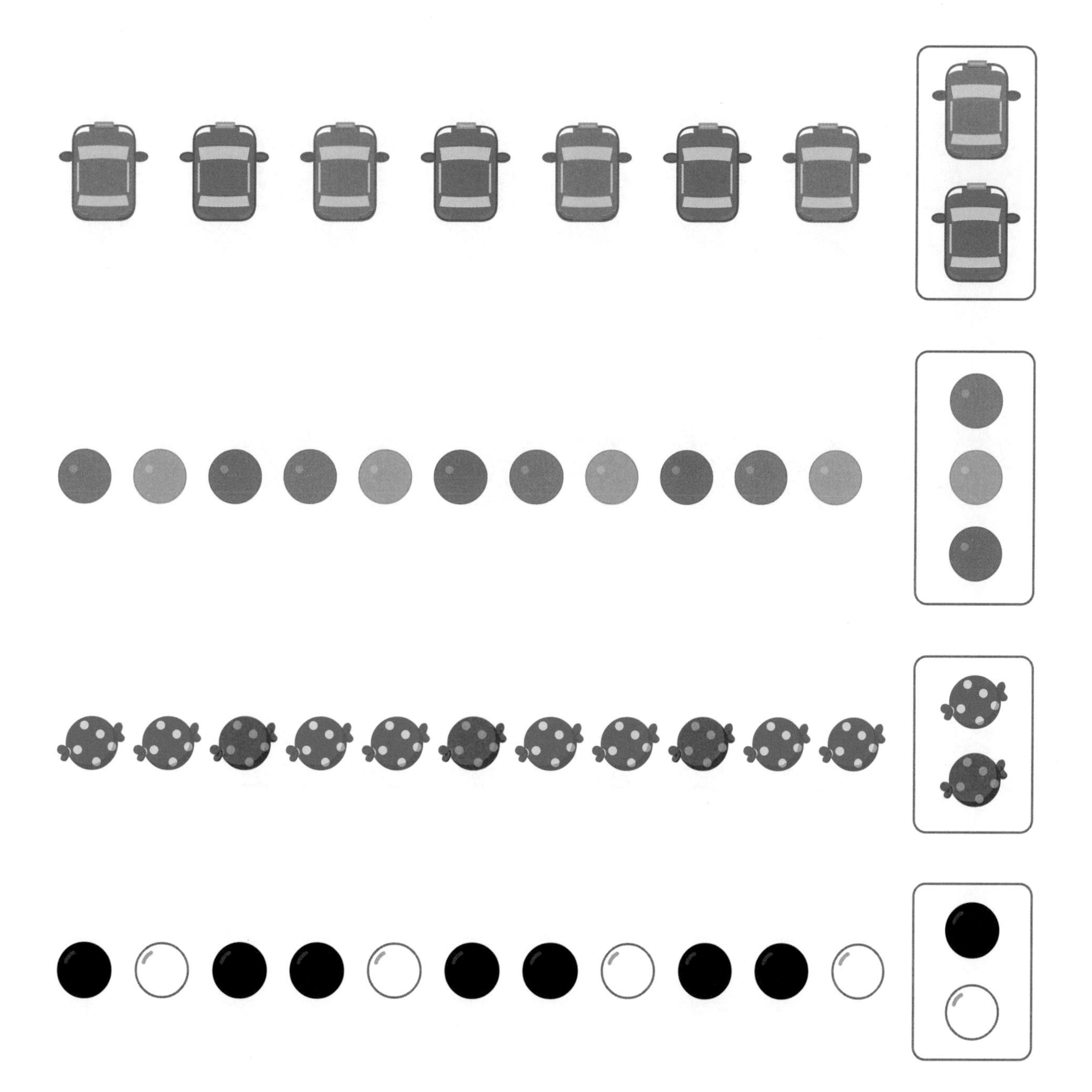

Tip
무엇이 반복되는지 물어서 반복되는 마디를 찾아보게 해 주세요.

규칙을 찾아서 빈 곳에 붙임 딱지를 붙이세요.

붙임 딱지 2

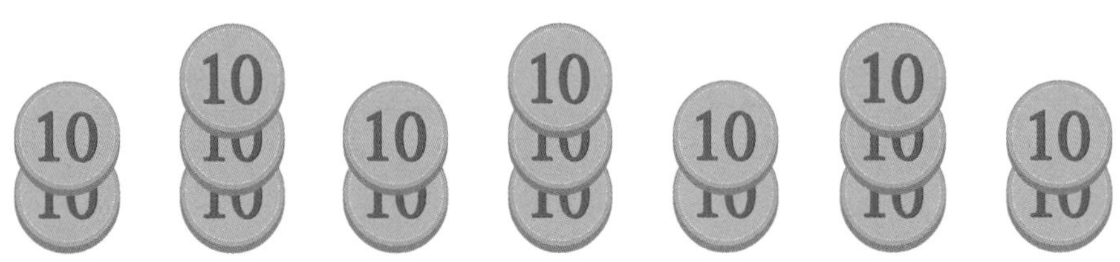

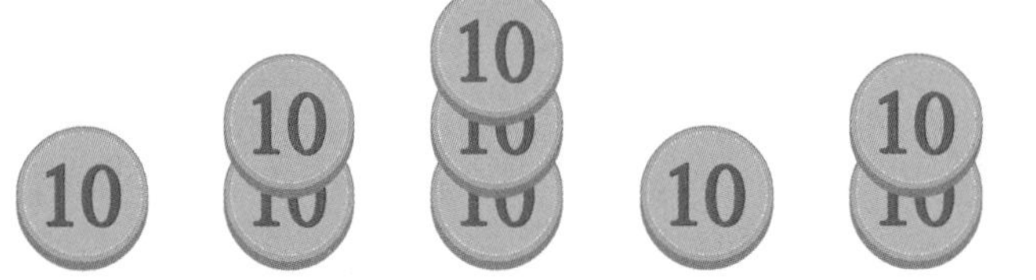

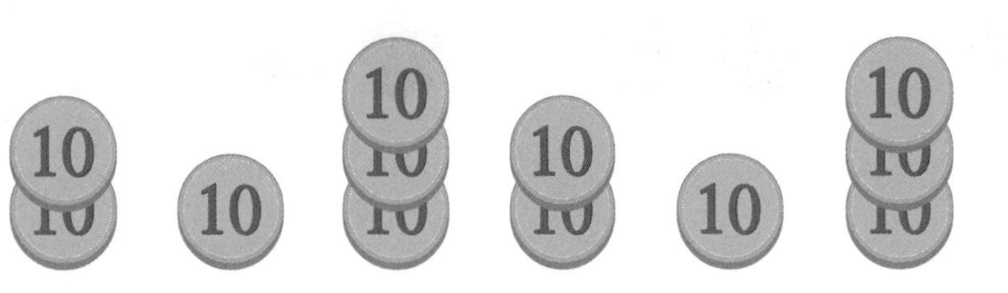

거꾸로 수 세기

10부터 1까지 거꾸로 세기를 여러 가지 유형으로 공부합니다. 5일차 사고력 팡팡은 간단한 규칙을 찾아보는 내용입니다.

10부터 거꾸로 세기

엘리베이터 버튼에 10부터 작아지는 순서로 수를 쓰세요.

계단에 10부터 작아지는 순서로 수를 쓰세요.

10에서 1까지 수를 거꾸로 잇는 선을 그려서 그림을 완성하세요.

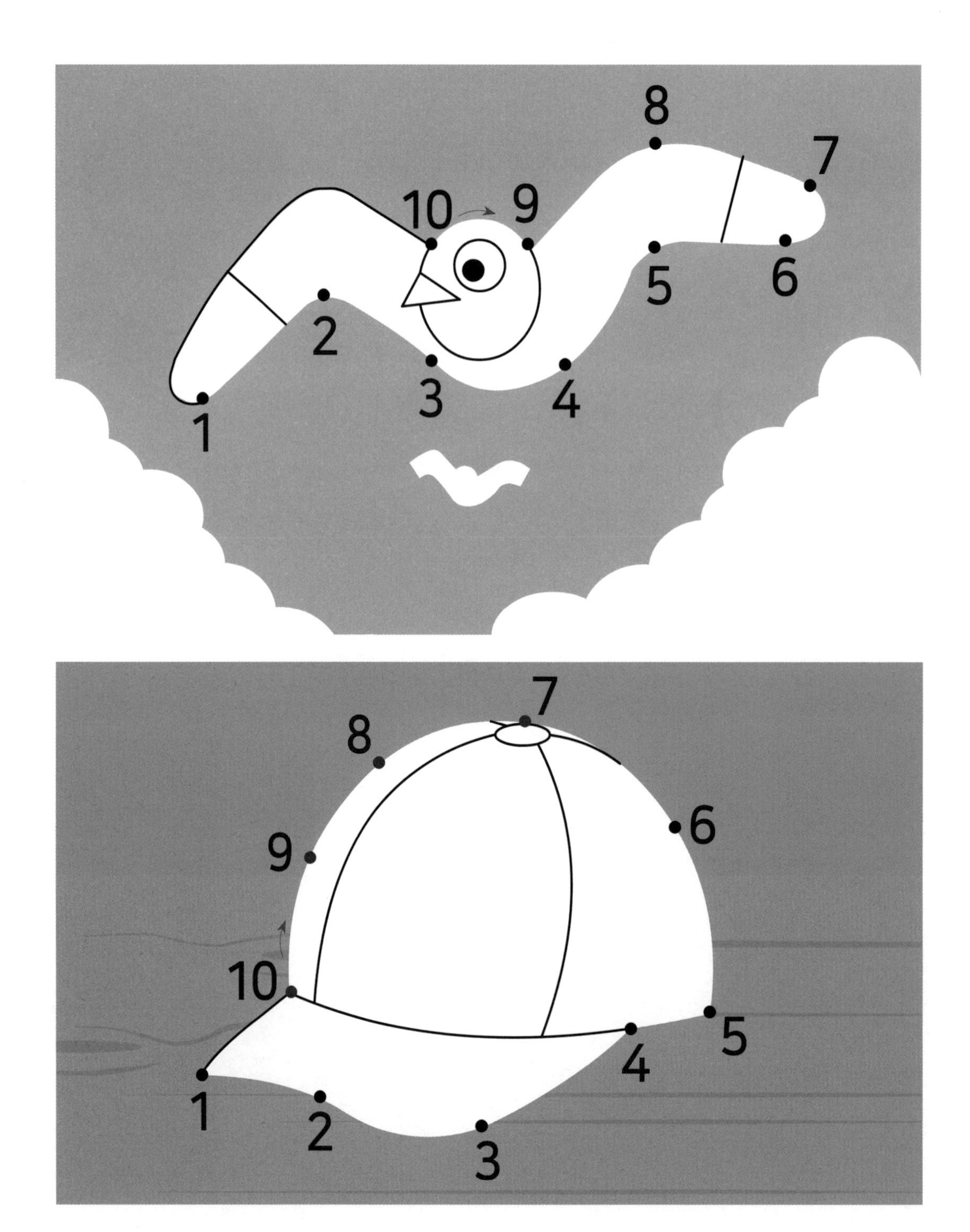

2일

수 퍼즐

10에서 1까지의 수를 거꾸로 이어 집으로 가는 길을 찾아보세요.

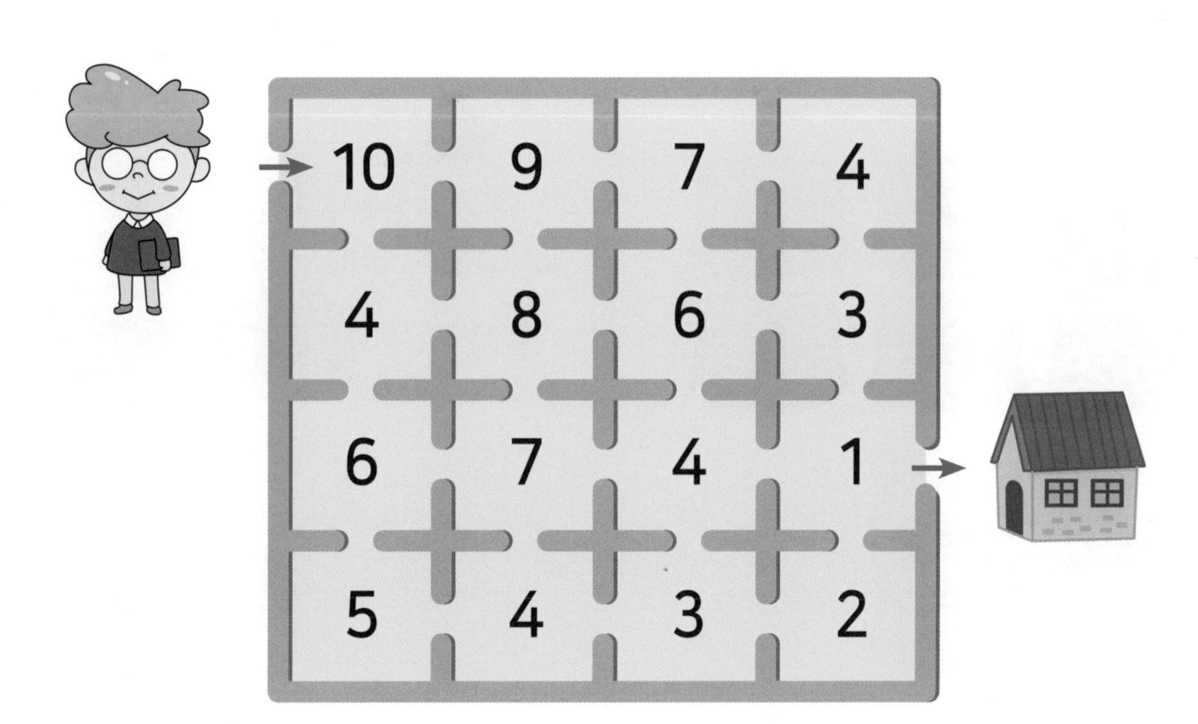

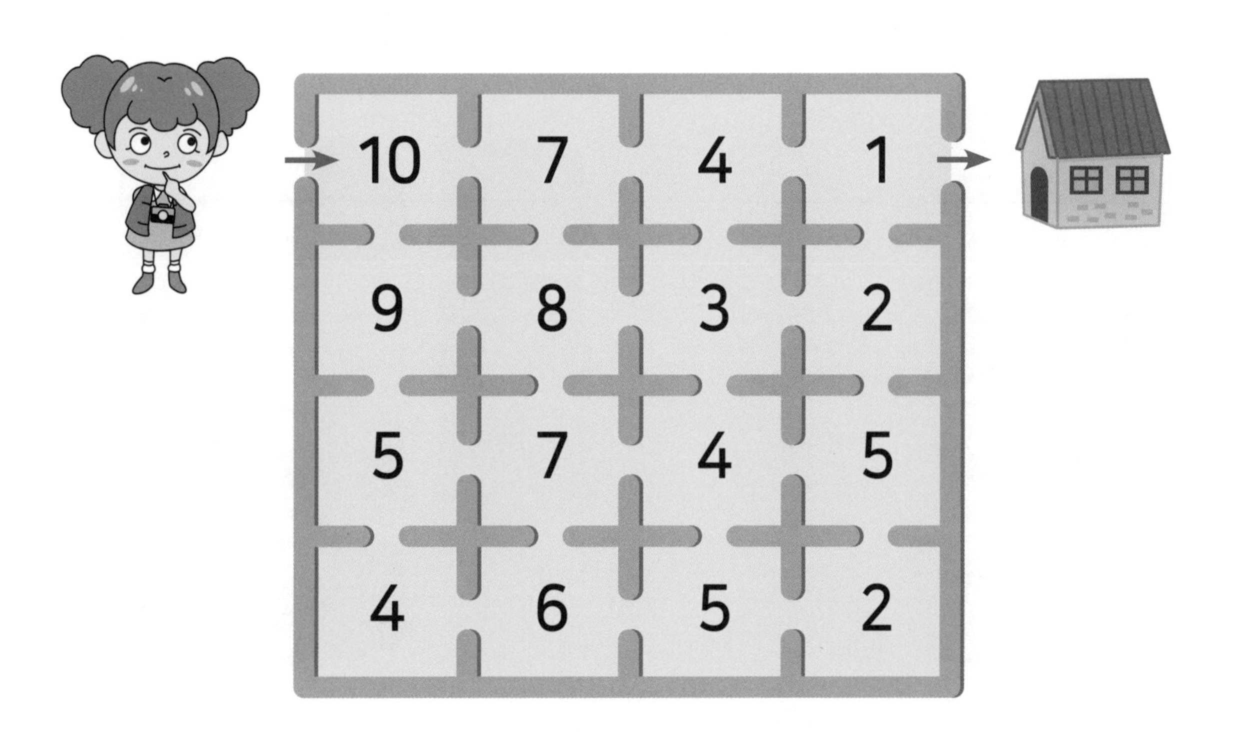

10부터 1까지의 수를 선으로 이으세요.

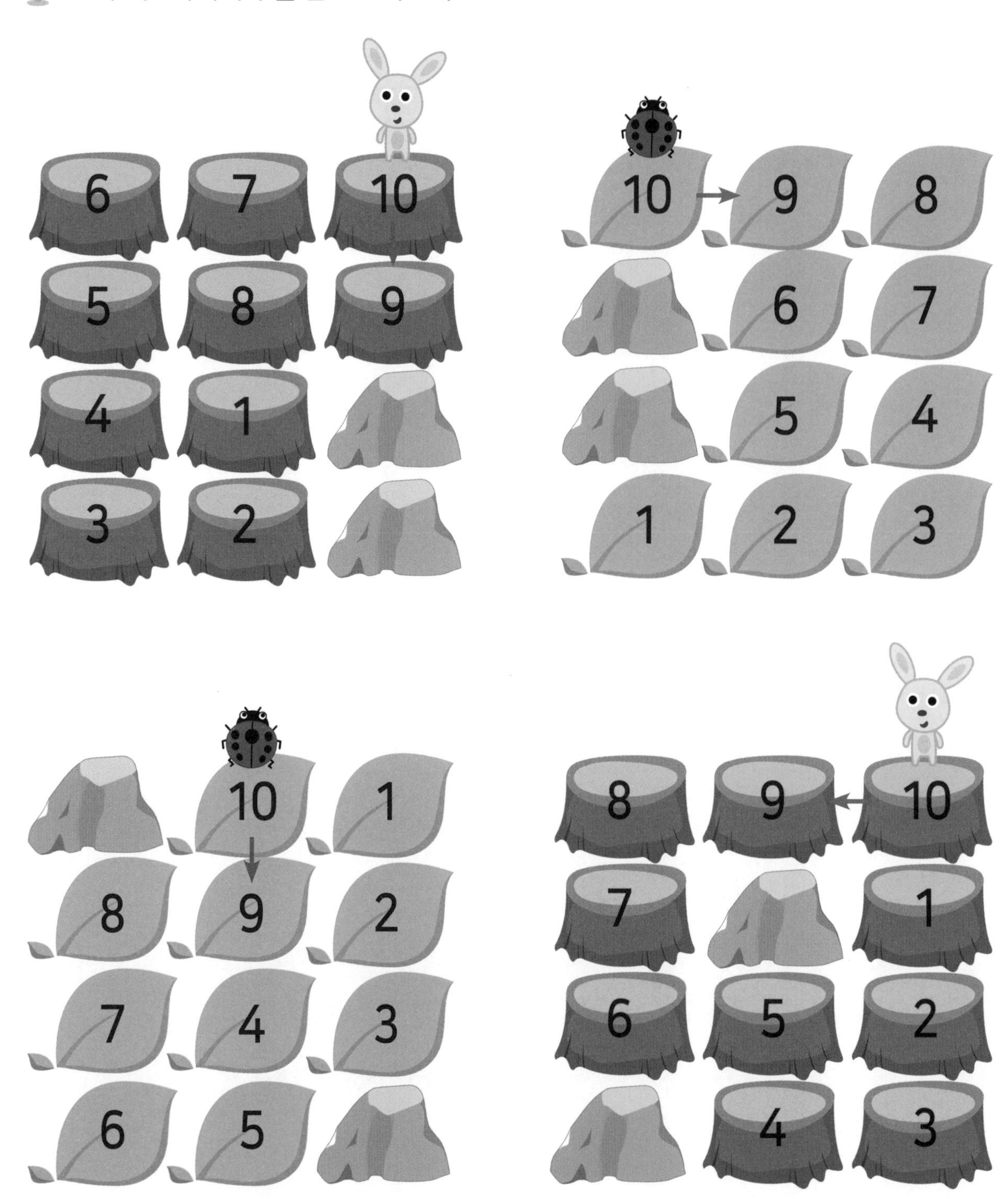

10부터 1까지의 수를 선으로 이으세요.

10	8	3	5
9	6	1	2
8	7	4	3
5	6	5	2

8	9 ←	10	4
7	4	3	2
6	5	7	1
3	4	9	8

3	9 ←	10	7
7	8	6	8
6	6	2	1
5	4	3	5

5	7	10 →	9
6	4	5	8
5	3	6	7
1	2	4	9

사라진 수

10부터 수를 거꾸로 생각하여 빈칸에 알맞은 수를 써넣으세요.

10	9		7	6		4	3		1

10		8	7		5	4		2	1

	9	8		6	5		3	2	

10			7	6		4	3		1

10	9	8			5	4			1

10									1

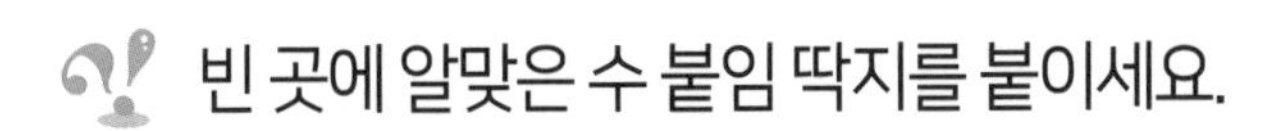
빈 곳에 알맞은 수 붙임 딱지를 붙이세요.

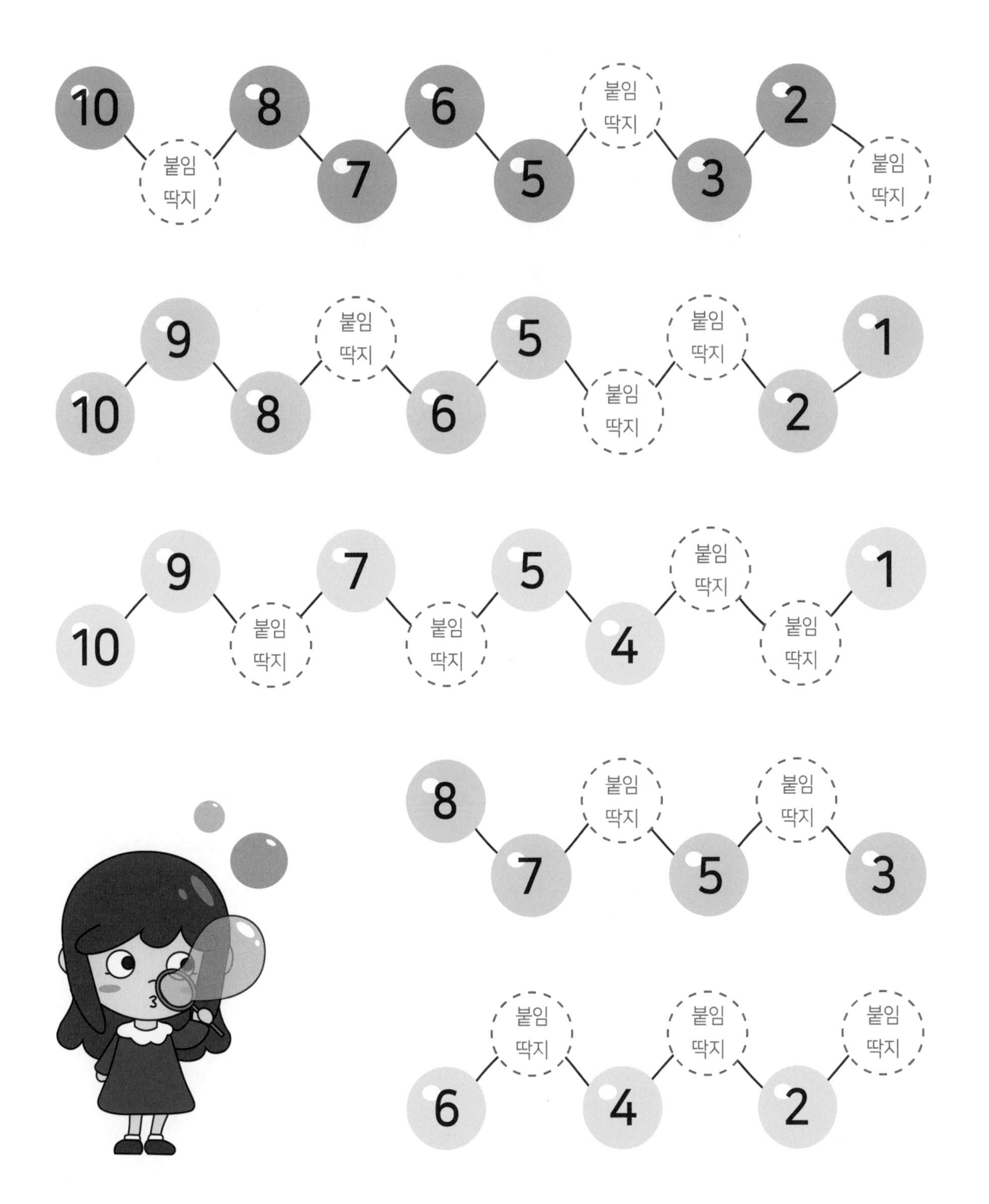

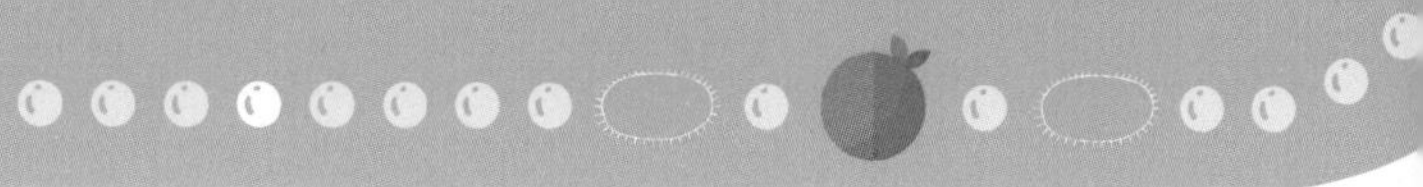

빈 곳에 알맞은 수를 써넣으세요.

8 7 ( ) 5 4

( ) 9 8 7 6

5 4 3 2 ( )

7 6 ( ) 4 3

9 ( ) 7 6 5

6 5 4 ( ) 2

4일 다음 수

빈칸에 알맞은 수를 써넣으세요.

10	9	8	7	6	5	4	3	2	1

7 6 5 ☐

8 7 6 ☐

9 8 7 ☐

4 3 2 ☐

6 5 4 ☐

10 9 ☐

10 ☐

6 5 ☐

다음으로 알맞은 수에 ◯표 하세요.

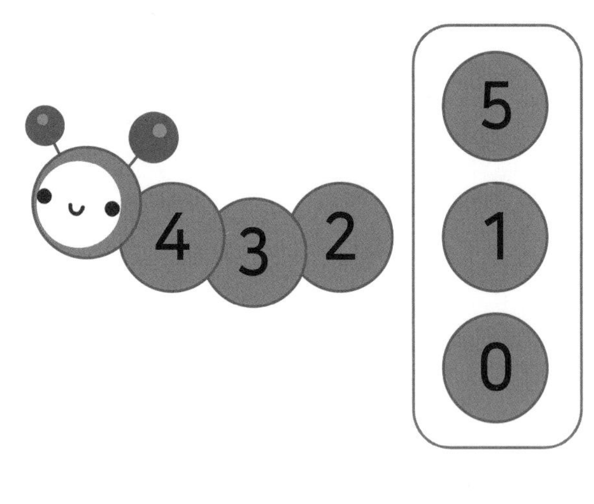

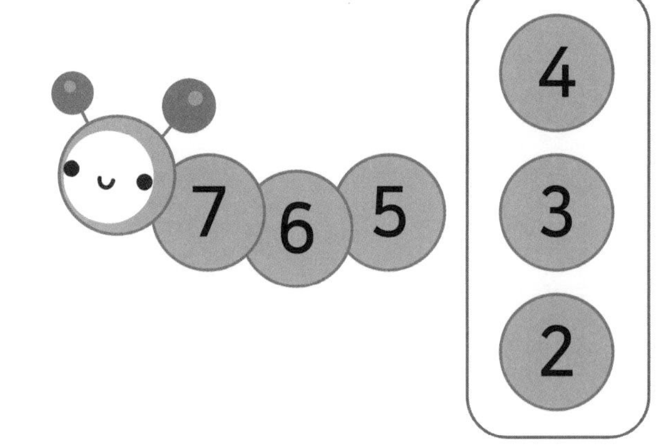

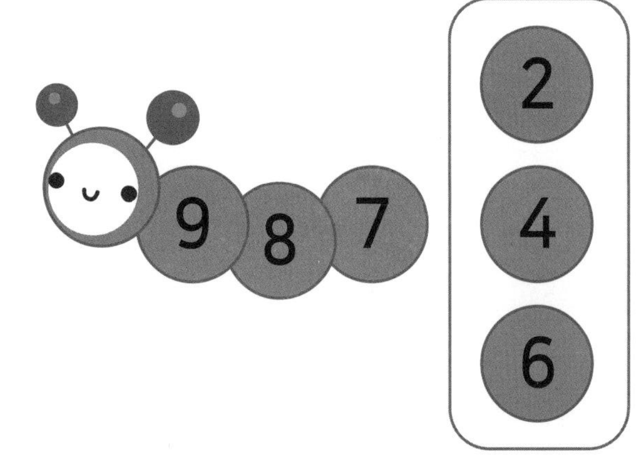

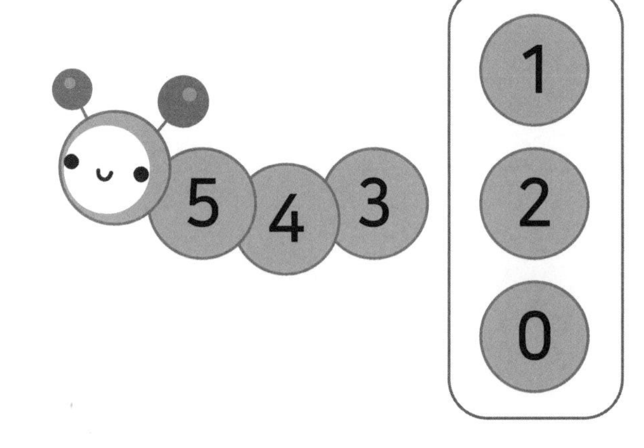

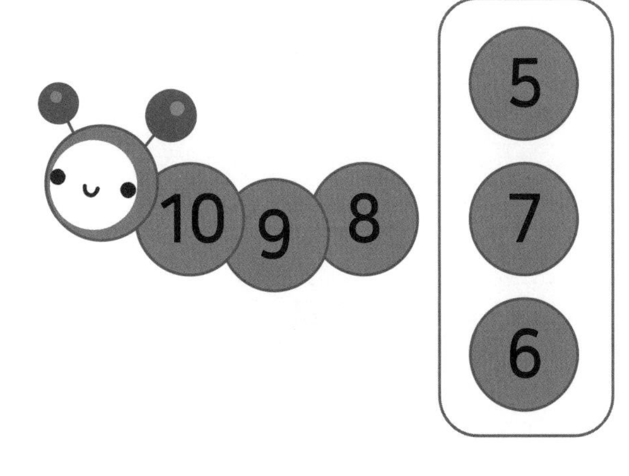

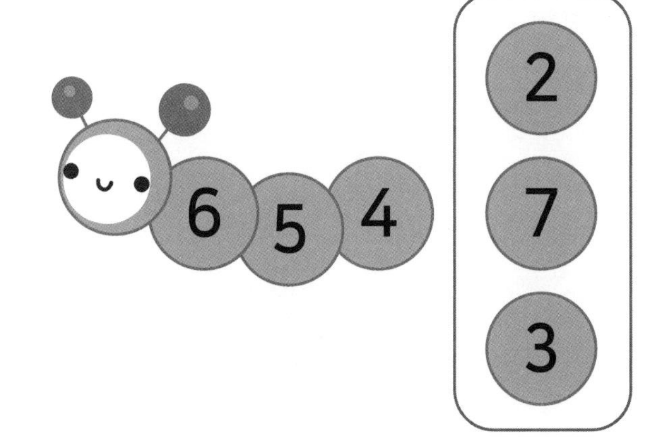

빈 곳에 알맞은 수를 써넣으세요.

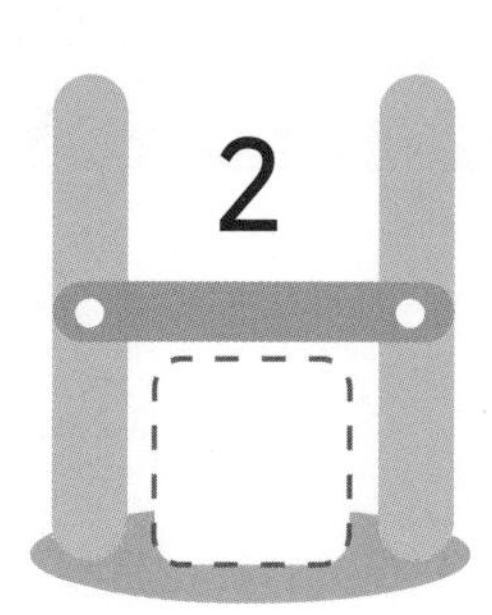

사고력 팡팡 - 다음에 올 모양은?

공부한 날~! 월 일

모두 똑같은 딱지입니다. 색연필로 딱지의 흰색 부분을 알맞게 색칠하세요.

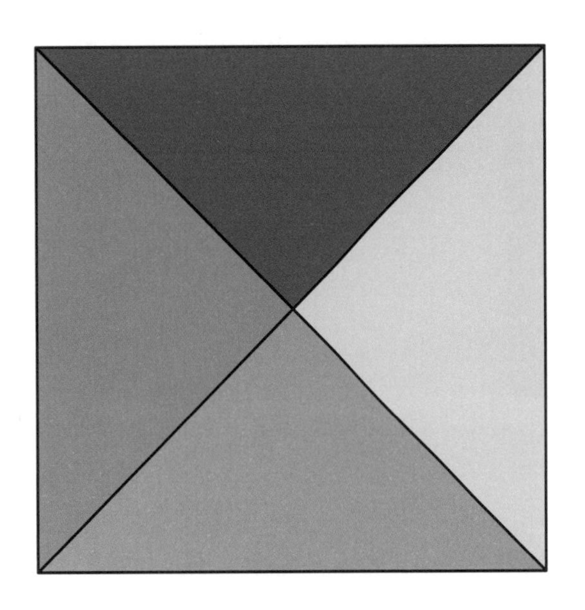

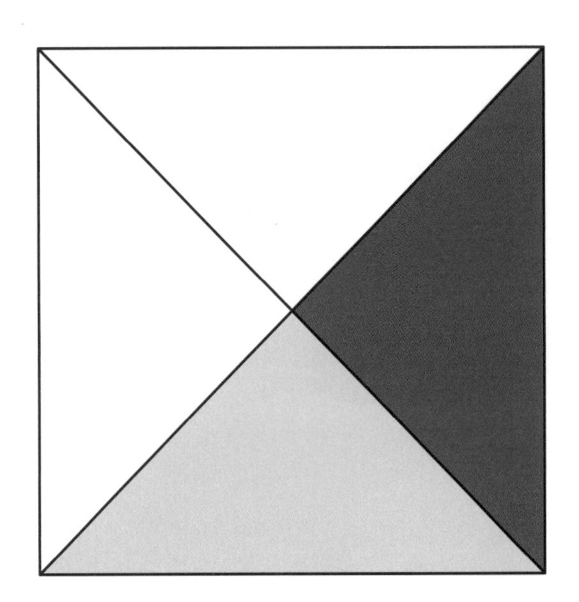

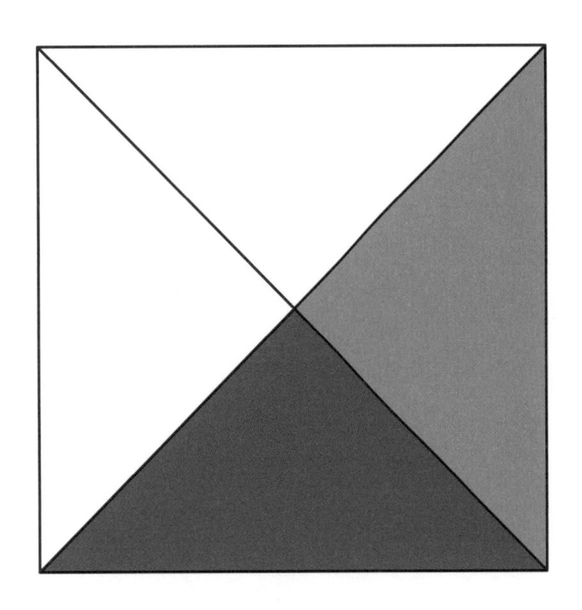

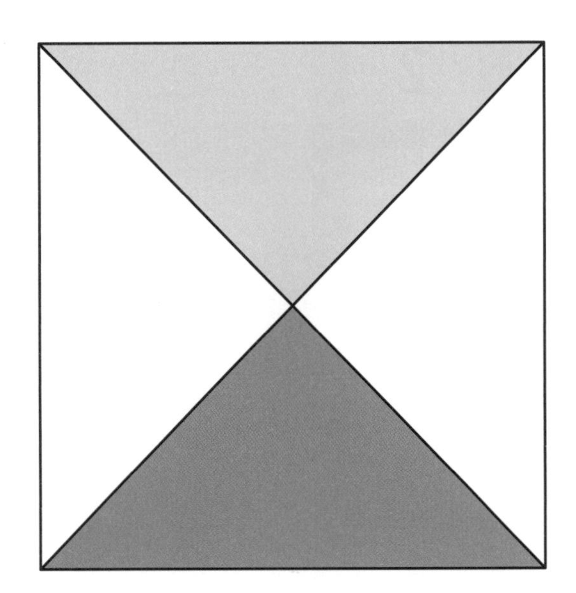

규칙을 찾아서 빈 곳에 붙임 딱지를 붙이세요.

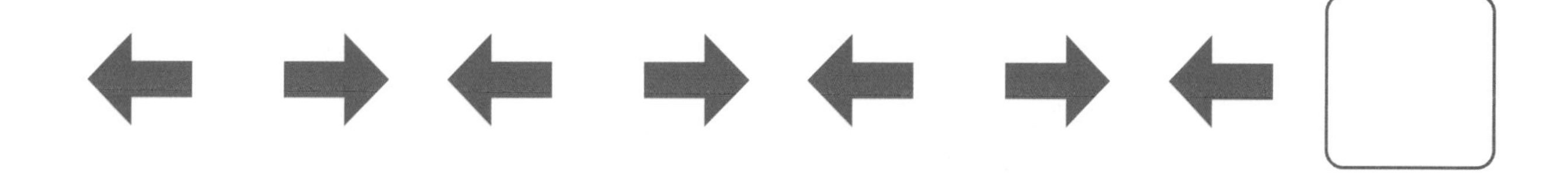

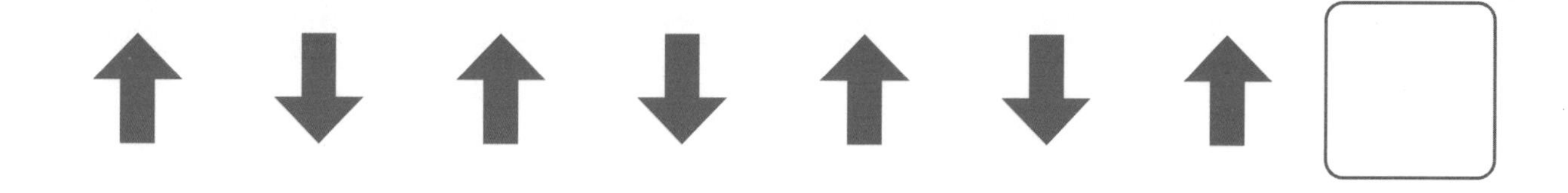

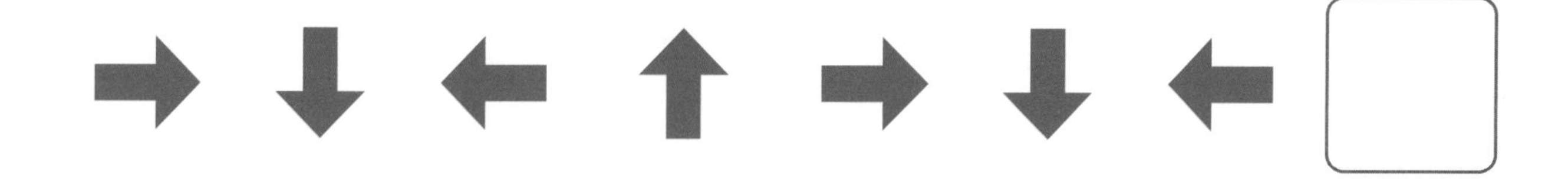

Tip

규칙을 이야기해 보도록 하세요. 반복되는 규칙이기도 하지만 2개는 서로 뒤집는 규칙, 2개는 네 방향으로 돌리는 규칙입니다.

규칙을 찾아서 빈 곳에 붙임 딱지를 붙이세요.

붙임 딱지 2

1	2	3	4	
1	2	3	4	
1	2	3	4	
1	2	3	4	

Tip

어려우면 붙임 딱지 부분을 가위로 잘라서 올려놓고 관찰하면 도움이 됩니다.

개수를 세는 말

개수를 세는 여러 가지 단위를 배웁니다. 여러 가지 단위를 반복적으로 익히기보다 단위를 배우면서 수를 다시 한 번 연습하는 단원입니다. 단위를 완벽하게 익힐 필요는 없는 시기입니다. 글자를 읽는 것도 도움이 필요합니다.

식탁 위의 음식

개수를 세어 수를 쓰고 읽기를 배워 보세요.

□ 병

□ 잔

□ 조각

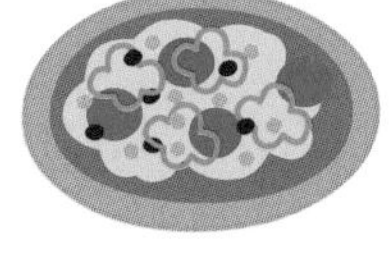

□ 판

□ 개

□ 그릇

개수를 세어 숫자를 쓰도록 하고 읽는 방법을 가르쳐 주세요.

개수를 세어 수를 쓰고 읽어 보세요.

☐ 조각

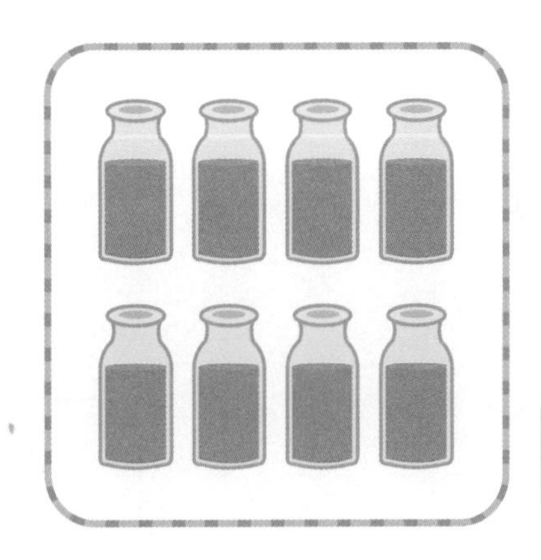

☐ 병

☐ 잔

☐ 개

☐ 그릇

☐ 접시

그림과 알맞은 것을 선으로 이으세요.

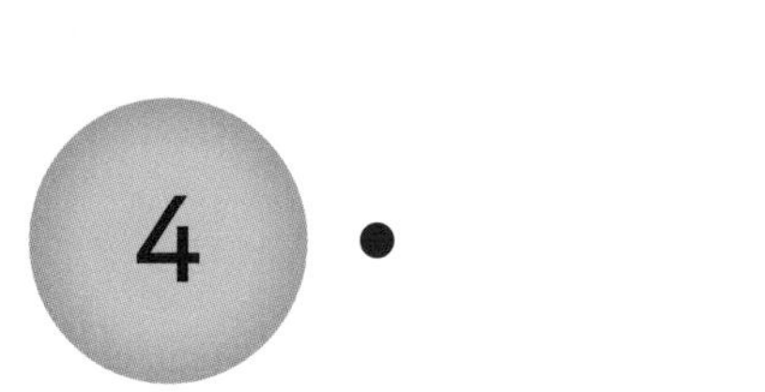

수	그림	단위
4		병
1		잔
2		판
6	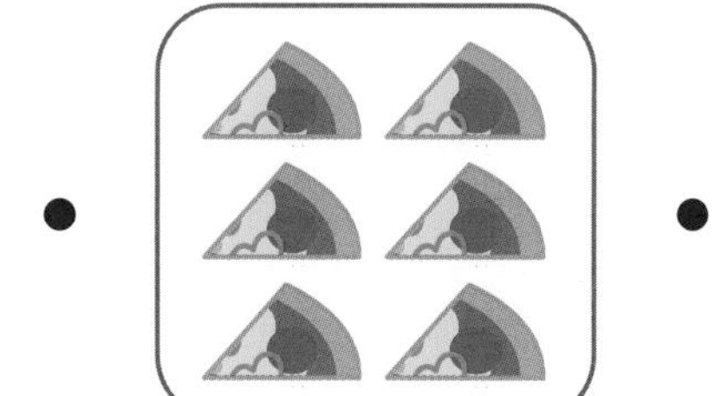	그릇
5	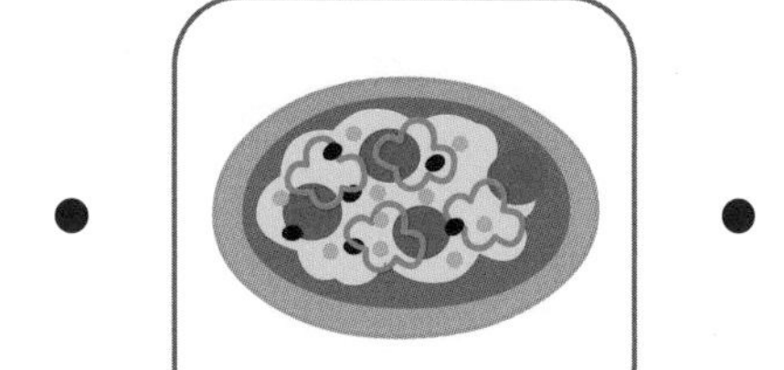	조각

책상 위의 학용품

개수를 세어 수를 쓰고 읽기를 배워 보세요.

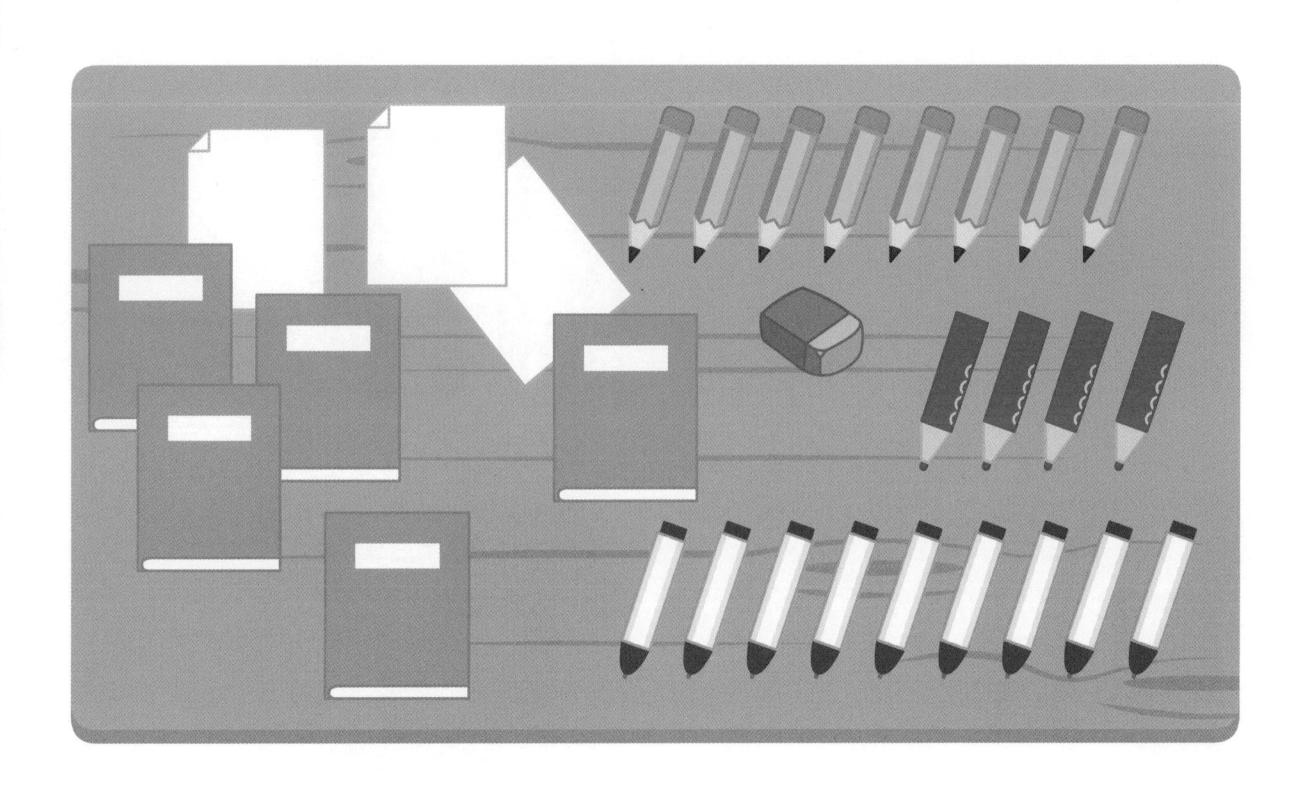

☐ 장		☐ 자루	
☐ 권		☐ 자루	
☐ 자루		☐ 개	

개수를 세어 수를 쓰고 읽어 보세요.

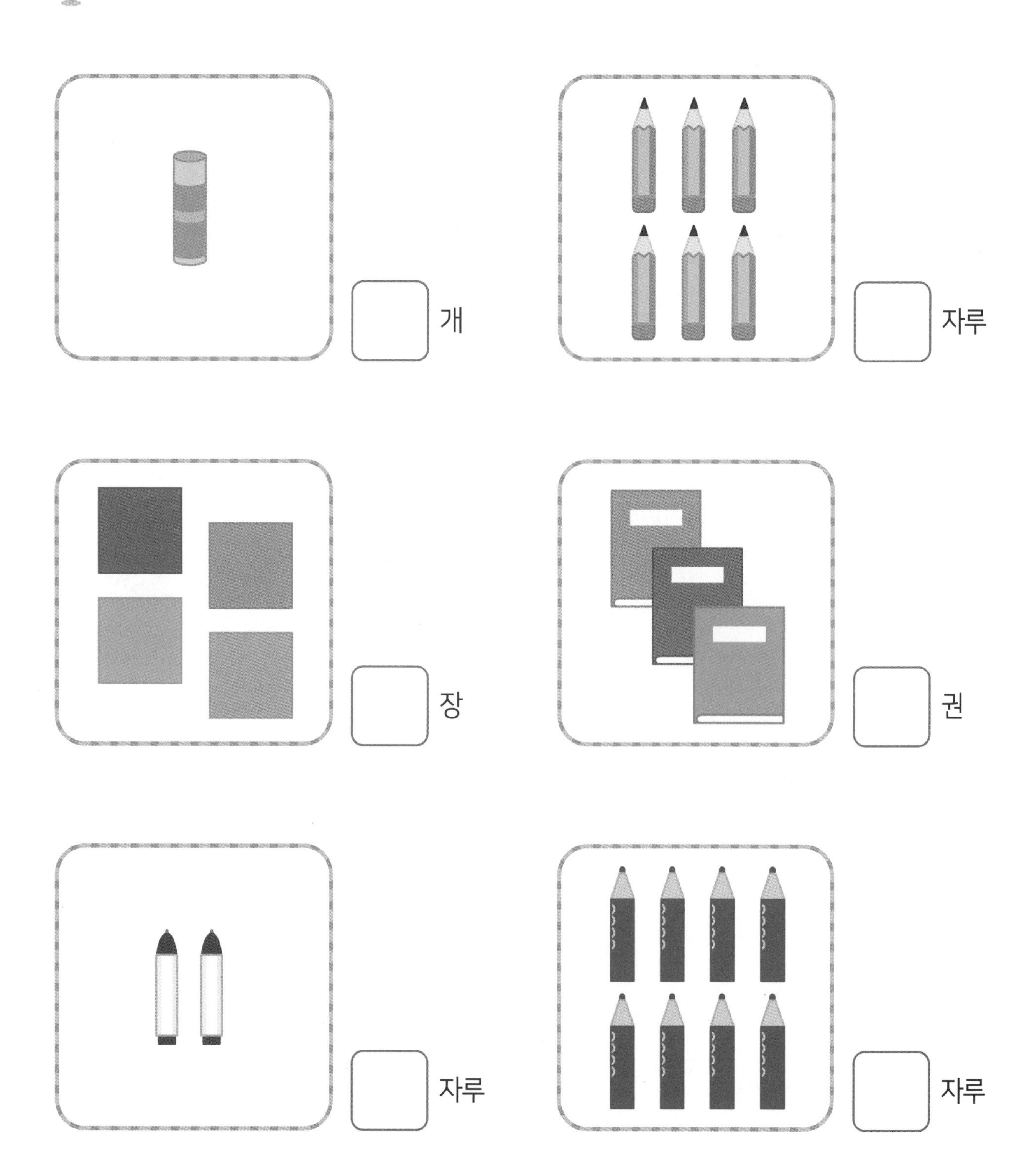

세는 말이 다른 그림 하나를 골라 X표 하세요.

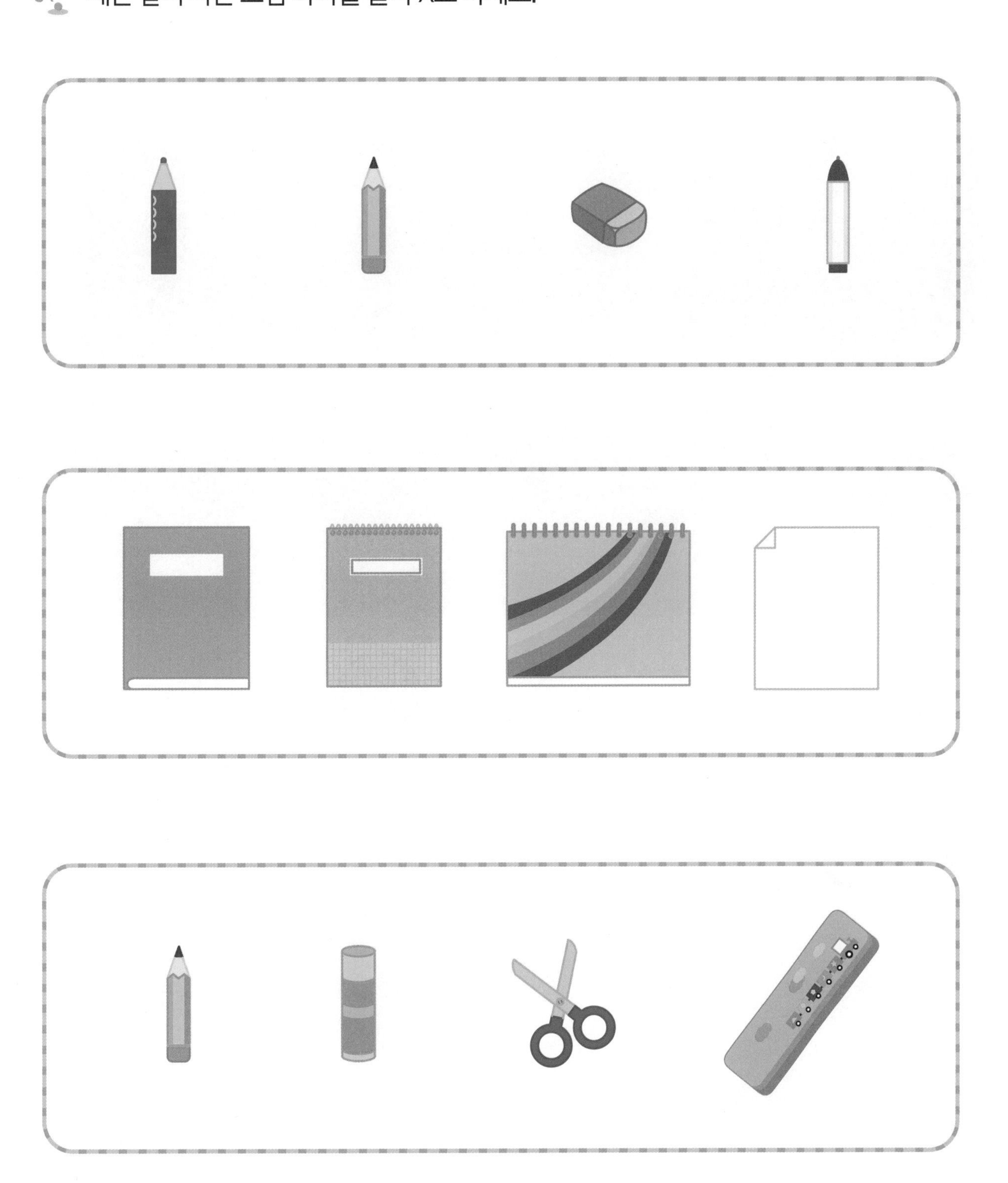

3일

탈 것

공부한 날~!
월 일

개수를 세어 수를 쓰고 읽기를 배워 보세요.

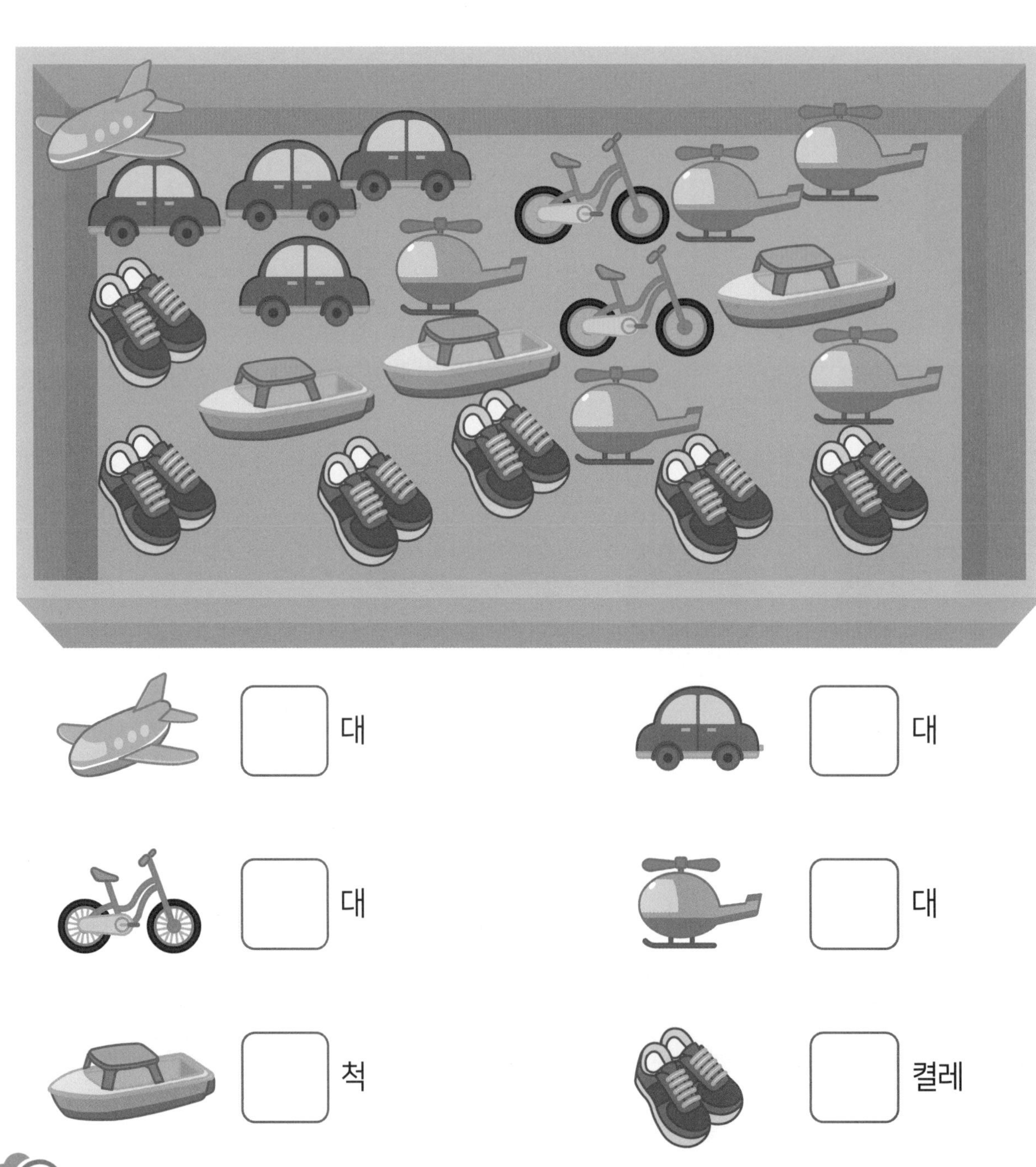

Tip

1켤레는 짝이 맞는 2개의 신발을 세는 단위입니다.

개수를 세어 수를 쓰고 읽어 보세요.

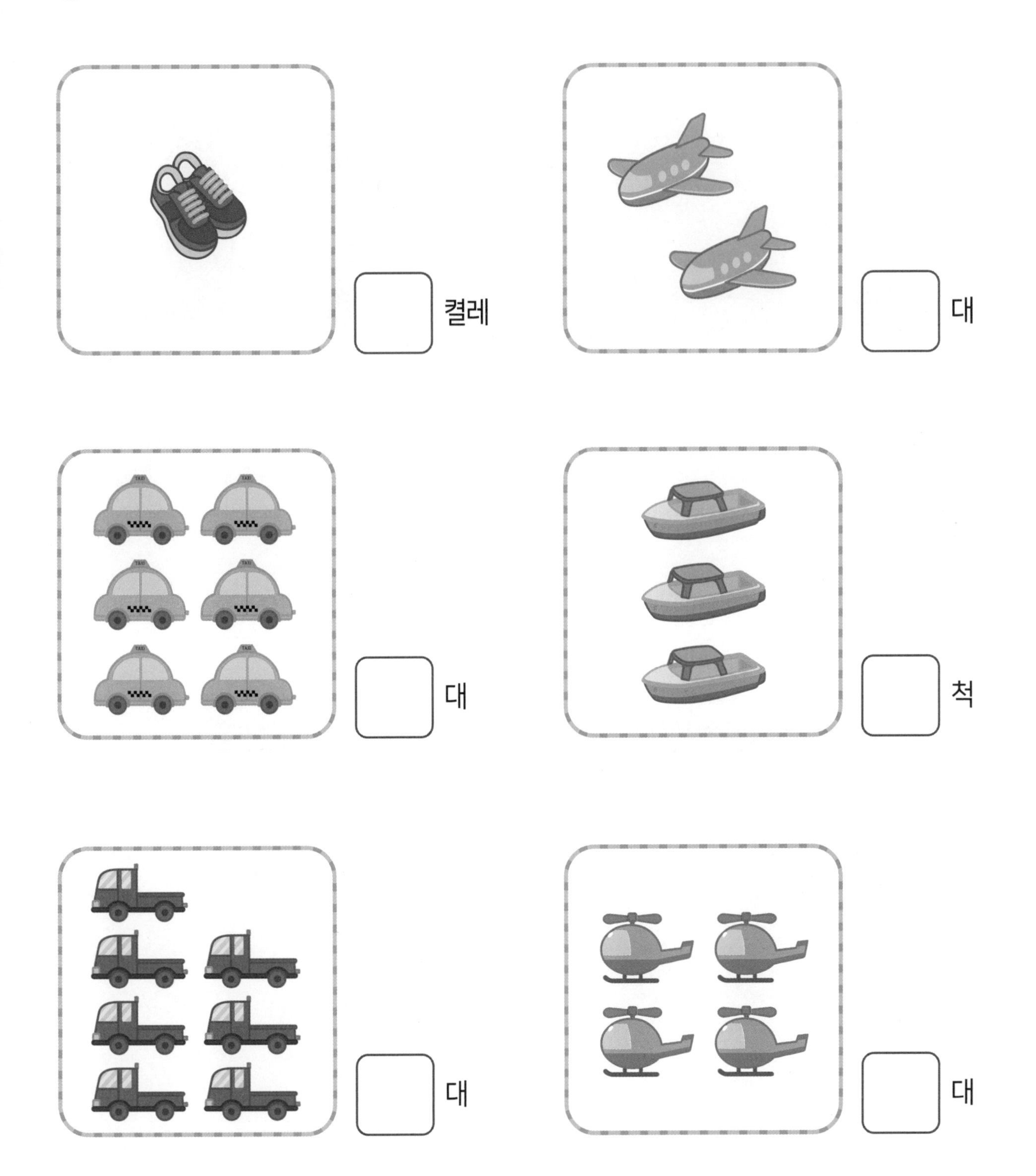

그림에서 '몇 척'으로 세는 탈 것에 모두 ◯표 하고, 모두 세어 빈칸에 알맞은 수를 써넣으세요.

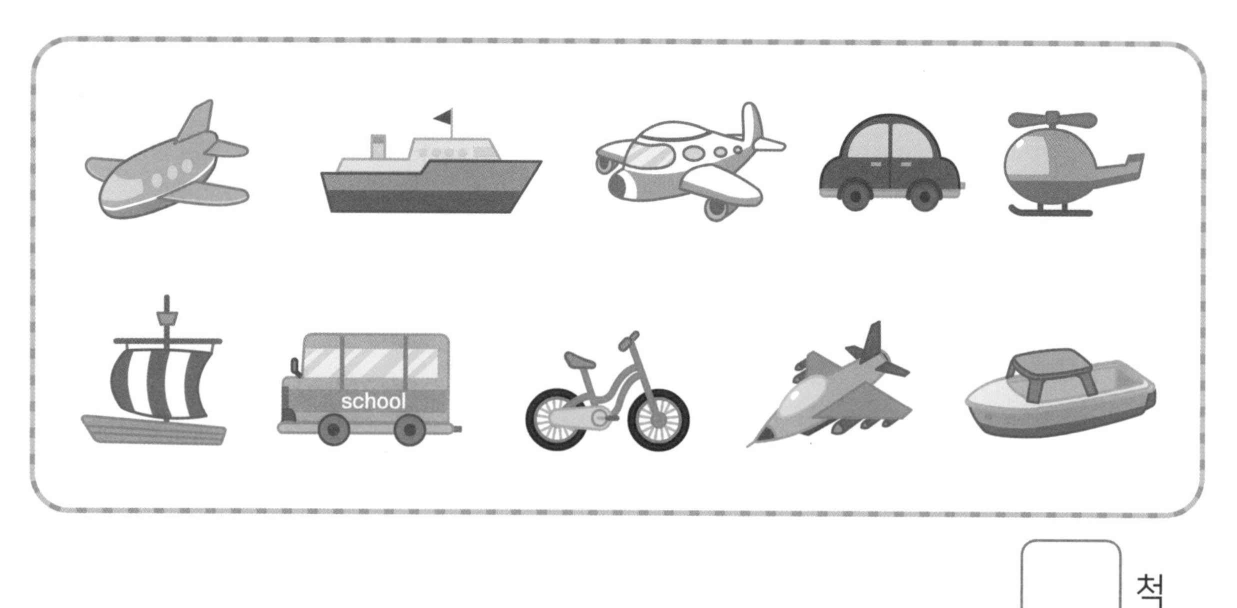

☐ 척

현관에 놓인 신발이 '몇 켤레'인지 세어 빈칸에 알맞은 수를 써넣으세요.

☐ 켤레

동물원

개수를 세어 수를 쓰고 읽기를 배워 보세요.

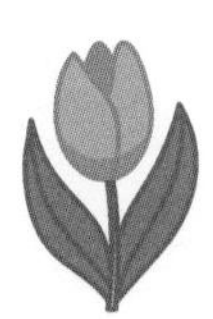
☐ 송이

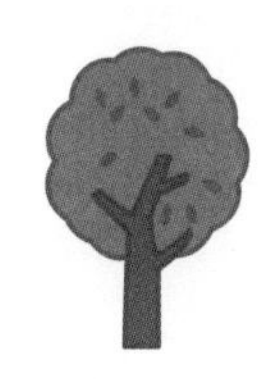
☐ 그루

동물을 세어 수를 쓰고 읽어 보세요.

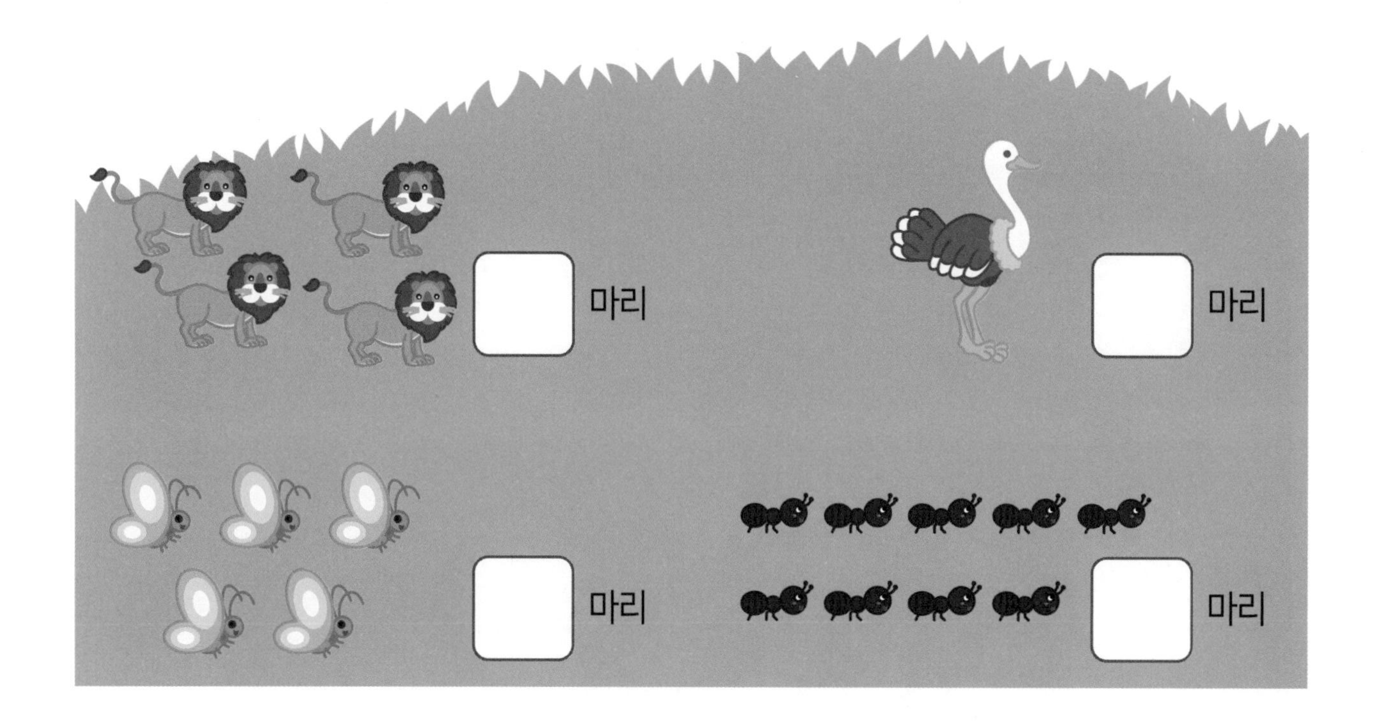

나무와 꽃을 세어 수를 쓰고 읽어 보세요.

잘못 센 동물이나 나무의 수에 X표 하고 바르게 고치세요.

7 그루

3 마리

4 송이

5 마리

8 마리

사고력 팡팡 – 빈 곳에 어울리는 것

감기에 걸린 지영이가 병원에 왔어요. 그림에 빈 곳이 있어요. 빈 곳에 알맞은 붙임 딱지를 찾아 붙이세요.

붙임
딱지 3

빈 곳에 어울리지 않는 것에 X표 하세요.

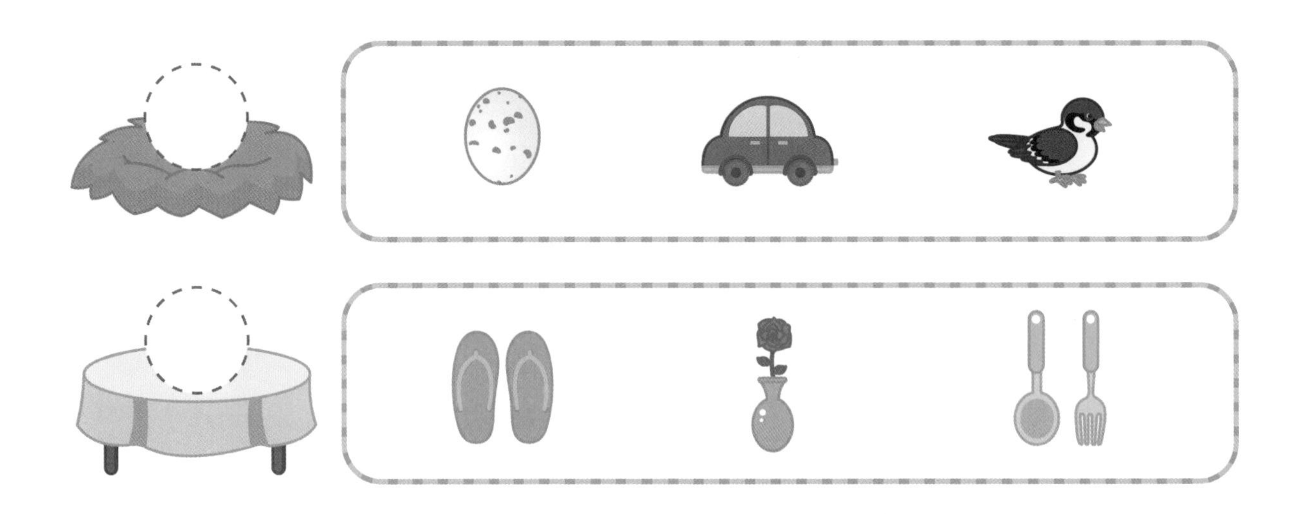

빈 곳에 알맞은 붙임 딱지를 붙이세요.

P. 22

P. 23

P. 24

P. 26

2 9 10 1 1 1 2

4 7 6 10 8 2 3

8 9 3 4 5 6 9 10

7 8 5 6 7 3 4 5

자르는 선

붙임 딱지 2

P. 35

P. 38

P. 40

P. 49

9 4 1 7 4 3 8 6

3 2 6 4 5 3 1 10

P. 55

P. 56

5 5 5 5

자르는 선

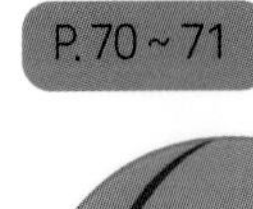

P. 70 ~ 71

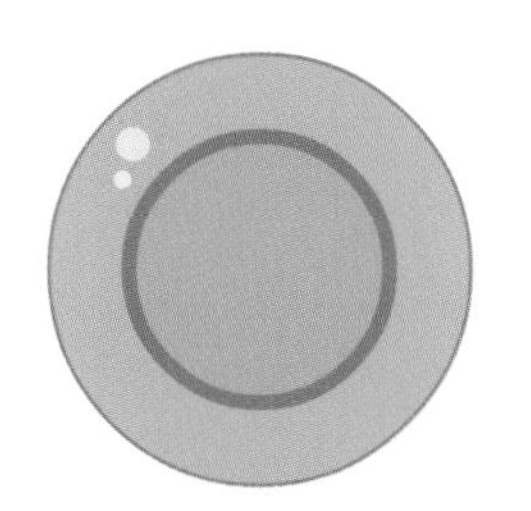

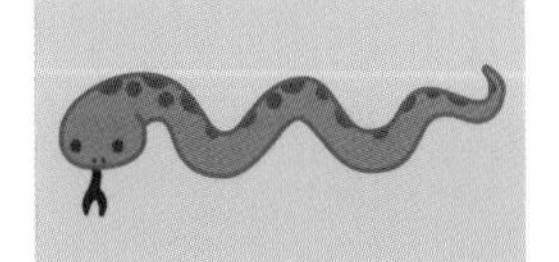
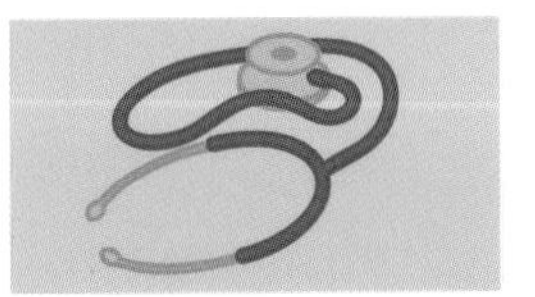

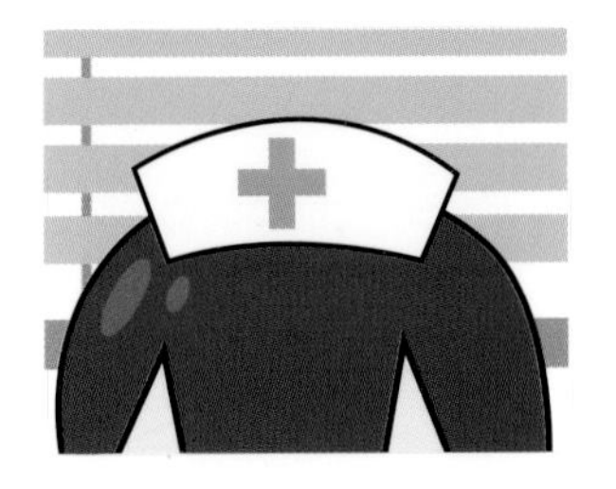
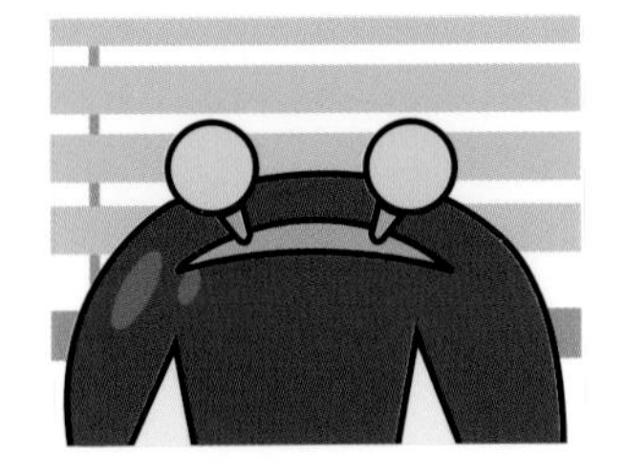
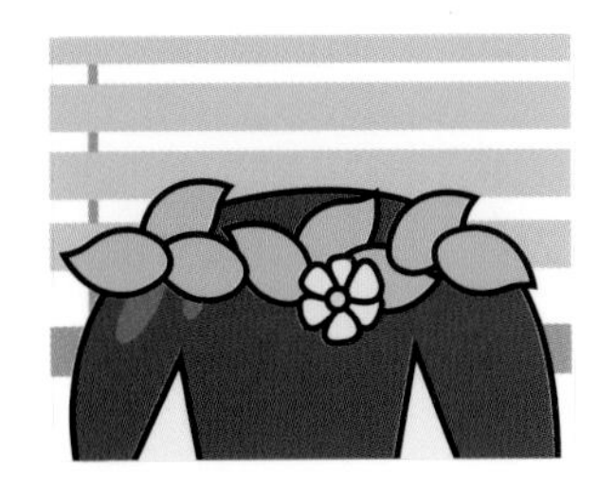

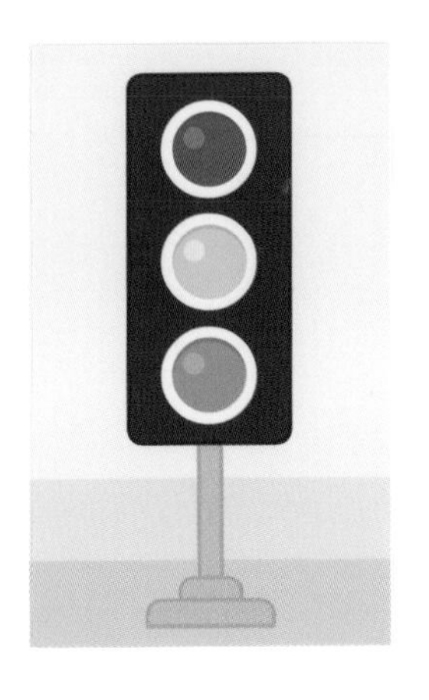

P. 72

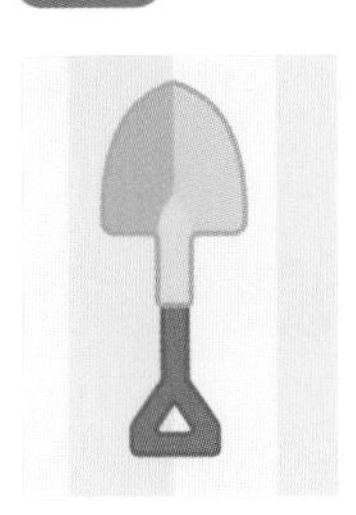

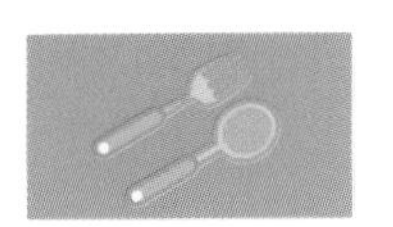

자르는 선

총괄 테스트

이름 점수

01 접시 위에 있는 음식의 개수를 세어 빈칸에 쓰세요.

02 사탕의 개수를 세어 ○ 안에 수를 쓰세요.

05 5장의 수 카드를 차례로 놓고 1장을 뺐습니다. 빠진 수를 빈칸에 쓰세요.

1 2 3 5 □

6 8 9 10 □

06 다음에 올 수에 ○표 하세요.

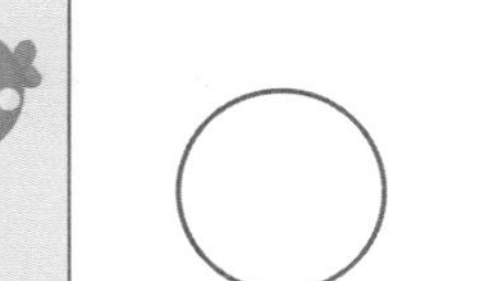

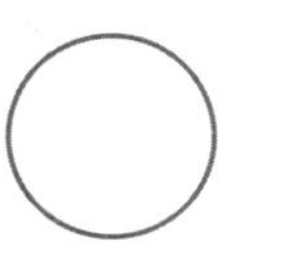

03 수를 잘못 센 것을 찾아 바르게 고치세요.

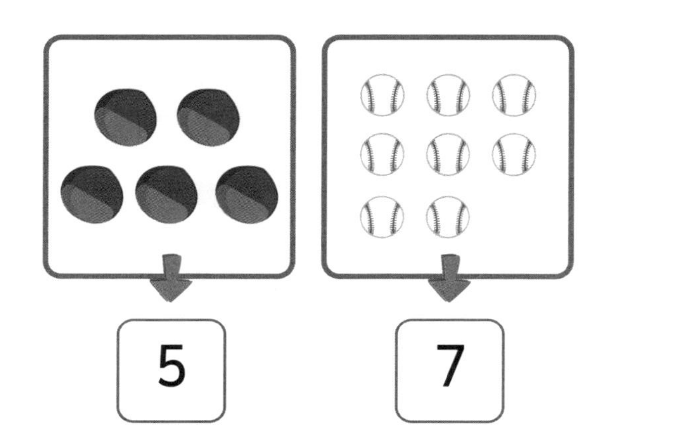

04 빈 곳에 알맞은 그림에 ○표 하세요.

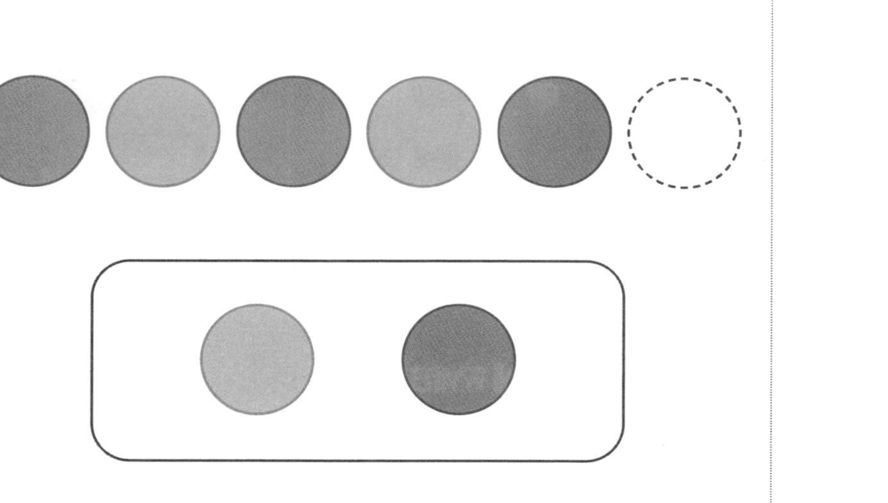

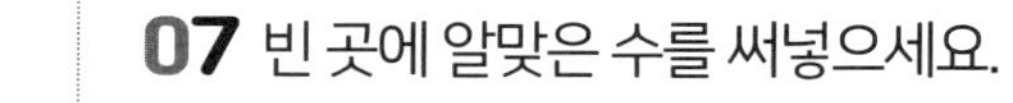

07 빈 곳에 알맞은 수를 써넣으세요.

08 빈 곳에 알맞은 그림에 ○표 하세요.

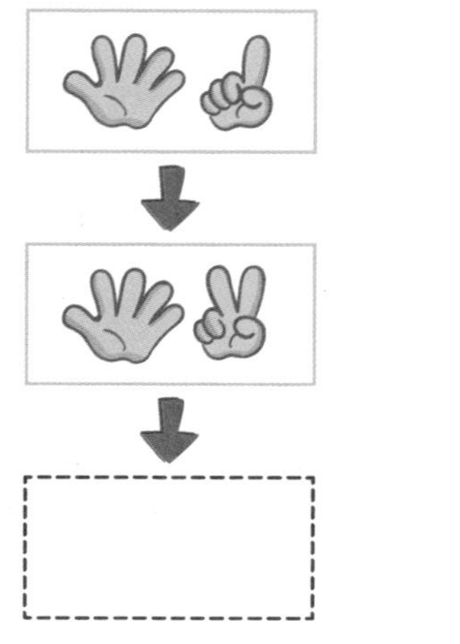

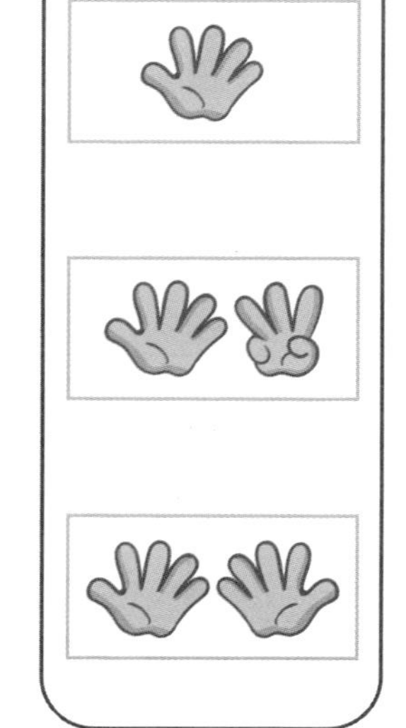

하루 10분

|단계별 유아 원리 연산|

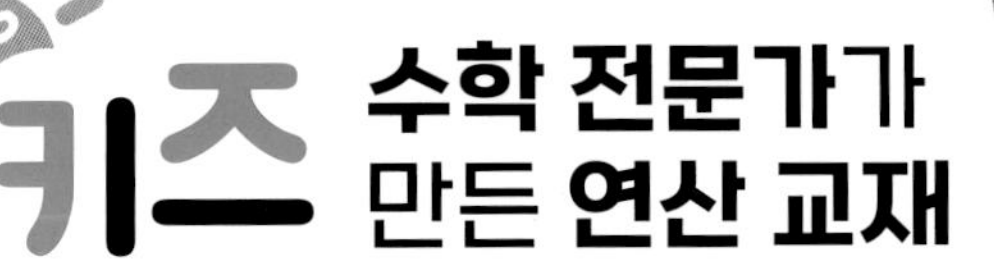

원리셈

천종현 지음

정답

5·6세 | 3권 | 10까지의 수 세어 쓰기

천종현수학연구소

총괄 테스트 정답

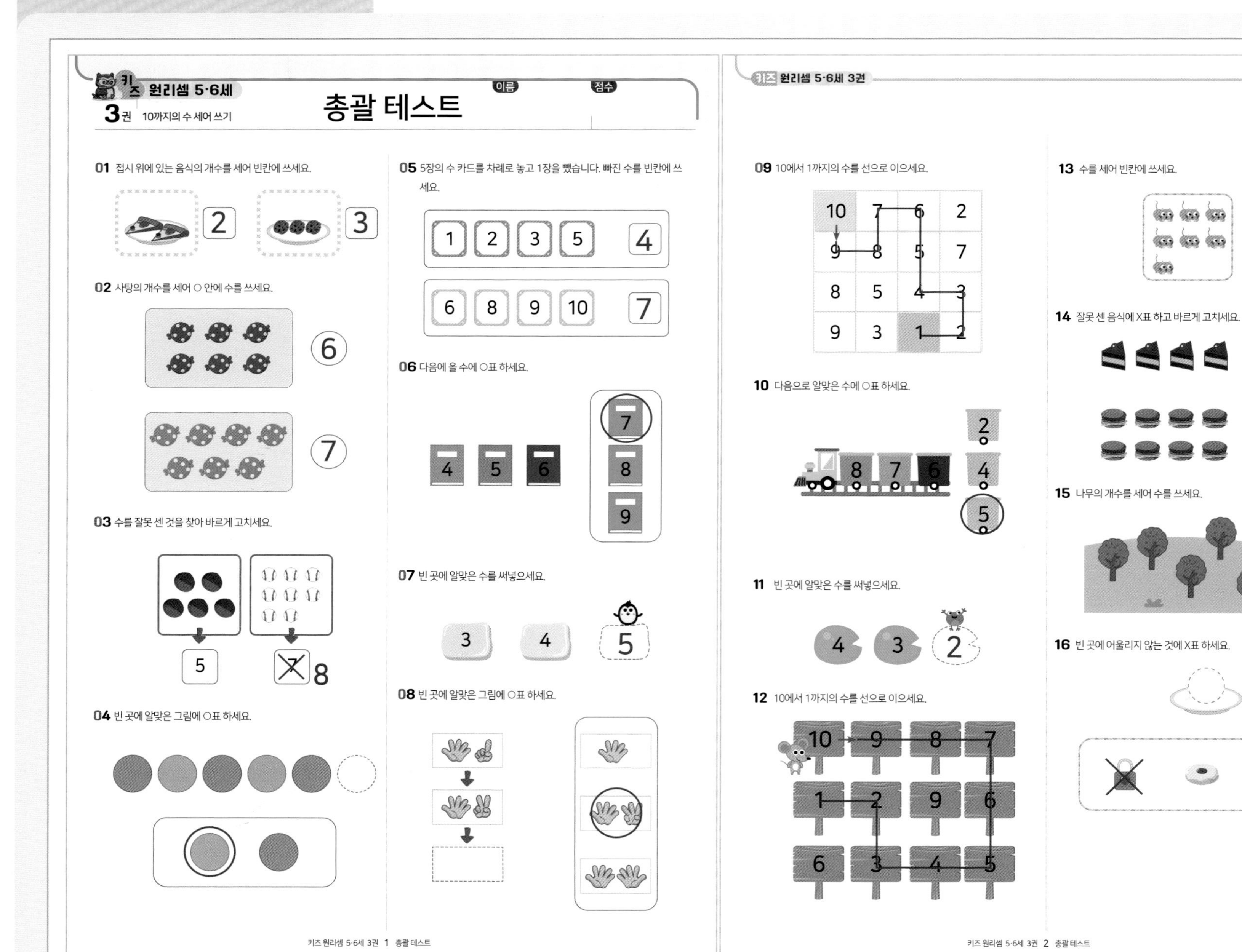
키즈 원리셈 5·6세
3권 10까지의 수 세어 쓰기
총괄 테스트
이름
점수
01 접시 위에 있는 음식의 개수를 세어 빈칸에 쓰세요.
2
3
02 사탕의 개수를 세어 ○ 안에 수를 쓰세요.
6
7
03 수를 잘못 센 것을 찾아 바르게 고치세요.
5
7 8
04 빈 곳에 알맞은 그림에 ○표 하세요.
05 5장의 수 카드를 차례로 놓고 1장을 뺐습니다. 빠진 수를 빈칸에 쓰세요.
1 2 3 5 4
6 8 9 10 7
06 다음에 올 수에 ○표 하세요.
4 5 6 7 8 9
07 빈 곳에 알맞은 수를 써넣으세요.
3 4 5
08 빈 곳에 알맞은 그림에 ○표 하세요.
키즈 원리셈 5·6세 3권
총괄 테스트
09 10에서 1까지의 수를 선으로 이으세요.
10 7 6 2
9 8 5 7
8 5 4 3
9 3 1 2
10 다음으로 알맞은 수에 ○표 하세요.
8 7 6 2 4 5
11 빈 곳에 알맞은 수를 써넣으세요.
4 3 2
12 10에서 1까지의 수를 선으로 이으세요.
10 9 8 7
1 2 9 6
6 3 4 5
13 수를 세어 빈칸에 쓰세요.
7 마리
14 잘못 센 음식에 X표 하고 바르게 고치세요.
4 개
8 6 개
15 나무의 개수를 세어 수를 쓰세요.
5 그루
16 빈 곳에 어울리지 않는 것에 X표 하세요.

10쪽

1일 0, 1, 2, 3, 4, 5 쓰기

공부한 날~! 월 일

수를 써 보세요.

0 (영)

0 0 0
0 0 0

| (일, 하나)

| | |
| | |

2 (이, 둘)

2 2 2
2 2 2

10 키즈 원리셈 - 5·6세 3권

11쪽

수를 써 보세요.

3 (삼, 셋)

3 3 3
3 3 3

4 (사, 넷)

4 4 4
4 4 4

5 (오, 다섯)

5 5 5
5 5 5

1주 - 10까지의 수 쓰기 11

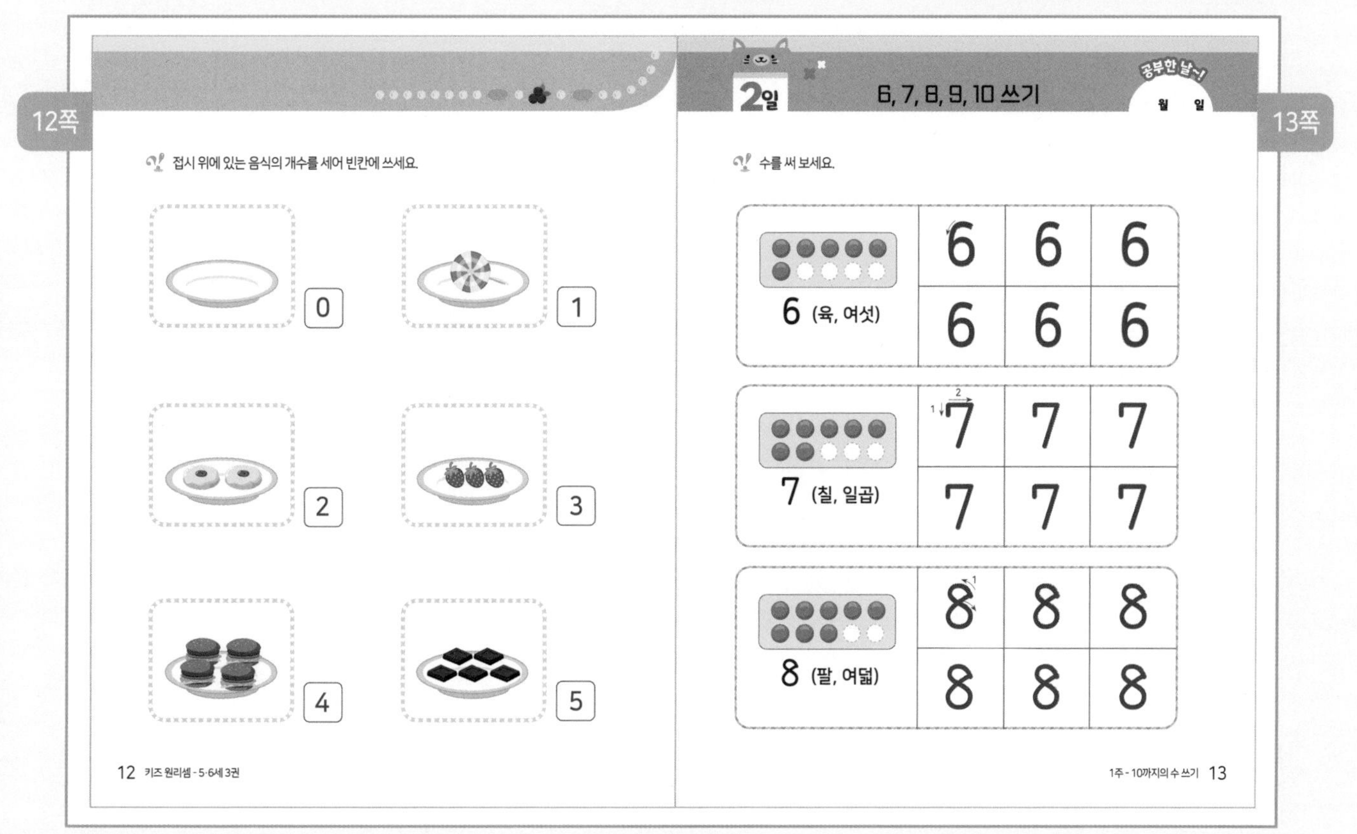
12쪽

접시 위에 있는 음식의 개수를 세어 빈칸에 쓰세요.

0 1

2 3

4 5

12 키즈 원리셈 - 5·6세 3권

13쪽

2일 6, 7, 8, 9, 10 쓰기

공부한 날~! 월 일

수를 써 보세요.

6 (육, 여섯)

6 6 6
6 6 6

7 (칠, 일곱)

7 7 7
7 7 7

8 (팔, 여덟)

8 8 8
8 8 8

1주 - 10까지의 수 쓰기 13

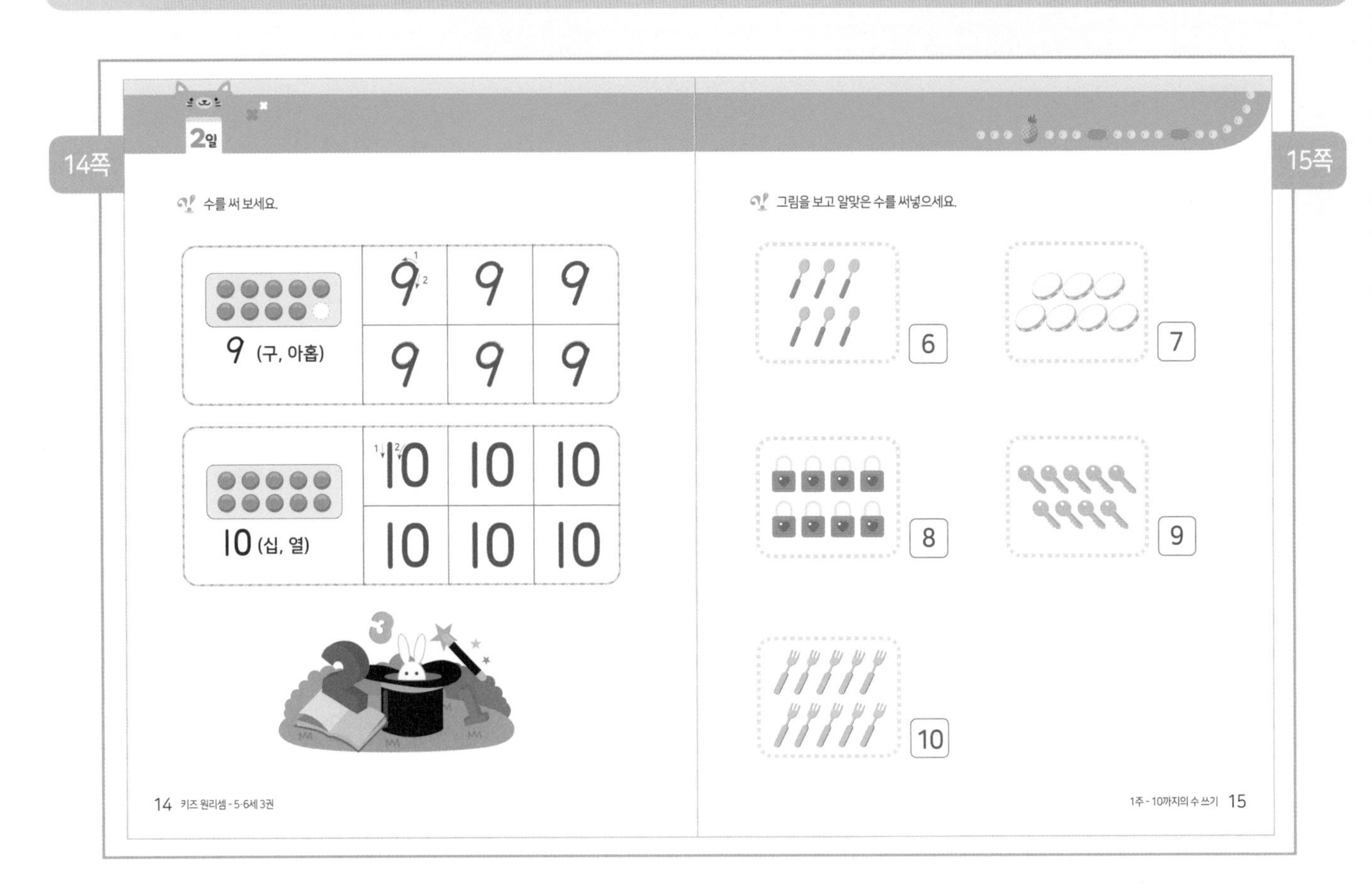
14쪽
2일
수를 써 보세요.
9 (구, 아홉)
10 (십, 열)
15쪽
그림을 보고 알맞은 수를 써넣으세요.
6
7
8
9
10
14 키즈 원리셈 - 5·6세 3권
1주 - 10까지의 수 쓰기 15

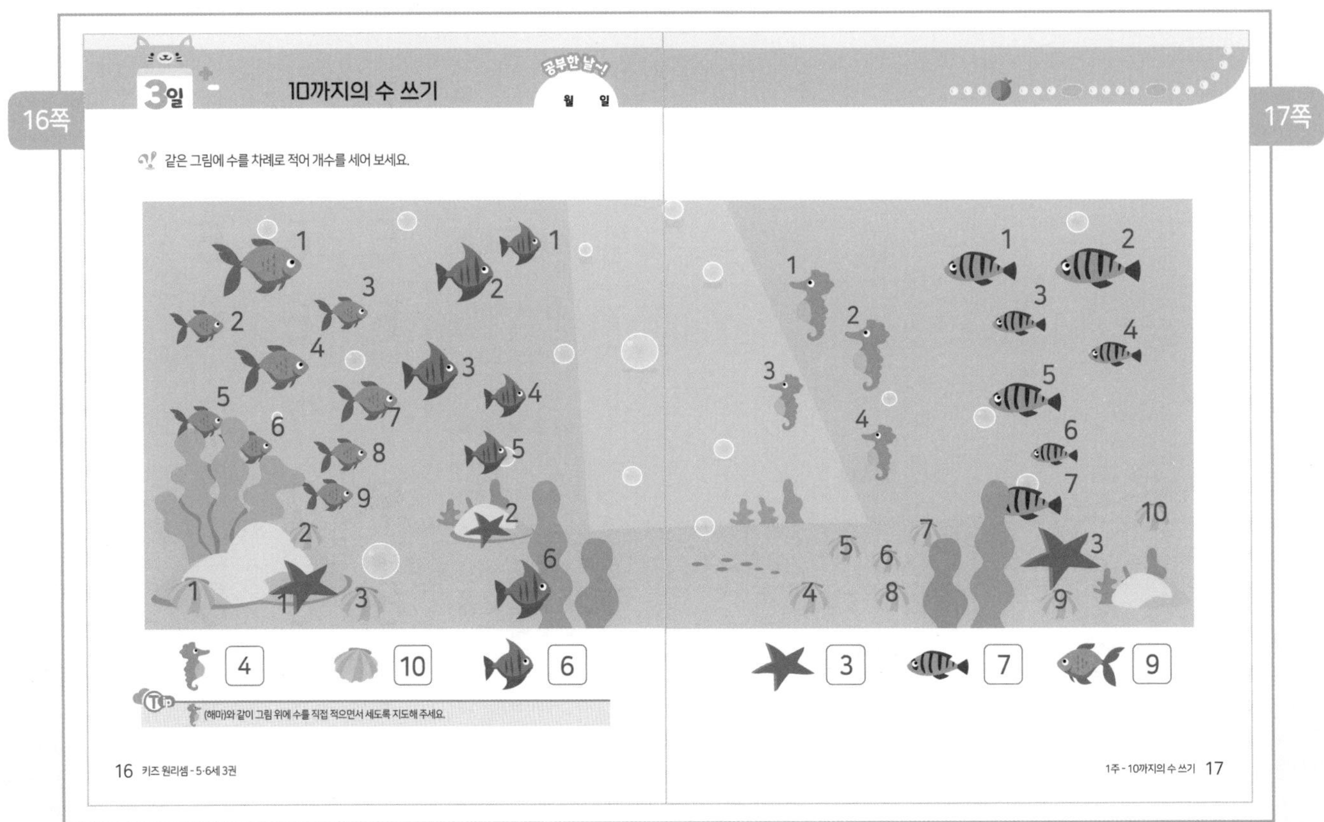
16쪽
3일
10까지의 수 쓰기
공부한 날~!
월 일
17쪽
같은 그림에 수를 차례로 적어 개수를 세어 보세요.
4
10
6
3
7
9
(해마)와 같이 그림 위에 수를 직접 적으면서 세도록 지도해 주세요.
16 키즈 원리셈 - 5·6세 3권
1주 - 10까지의 수 쓰기 17

18쪽

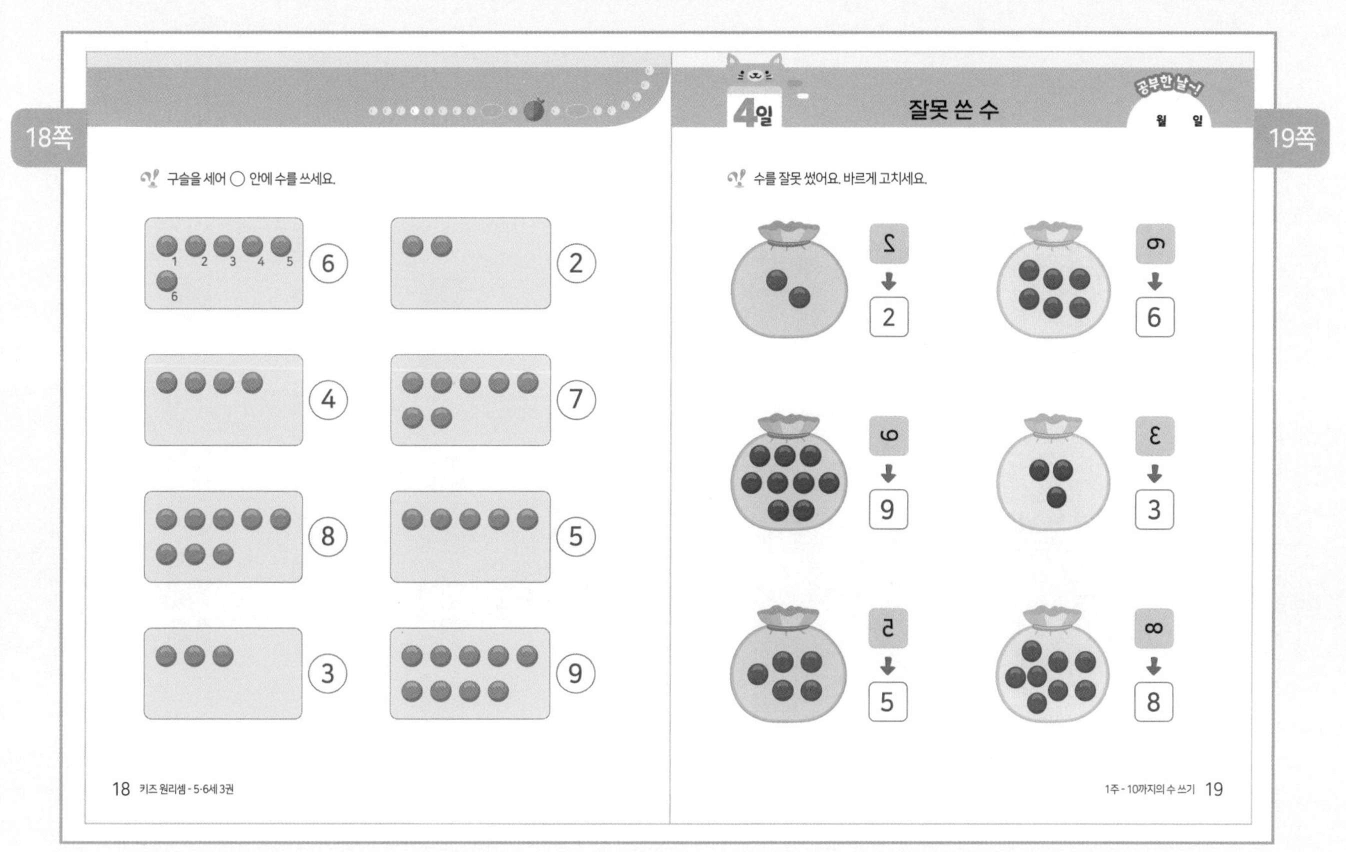
구슬을 세어 ○ 안에 수를 쓰세요.

6 2
4 7
8 5
3 9

18 키즈 원리셈 - 5·6세 3권

4일 잘못 쓴 수

공부한 날 - 월 일

수를 잘못 썼어요. 바르게 고치세요.

2 6
9 3
5 8

1주 - 10까지의 수 쓰기 19

19쪽

20쪽

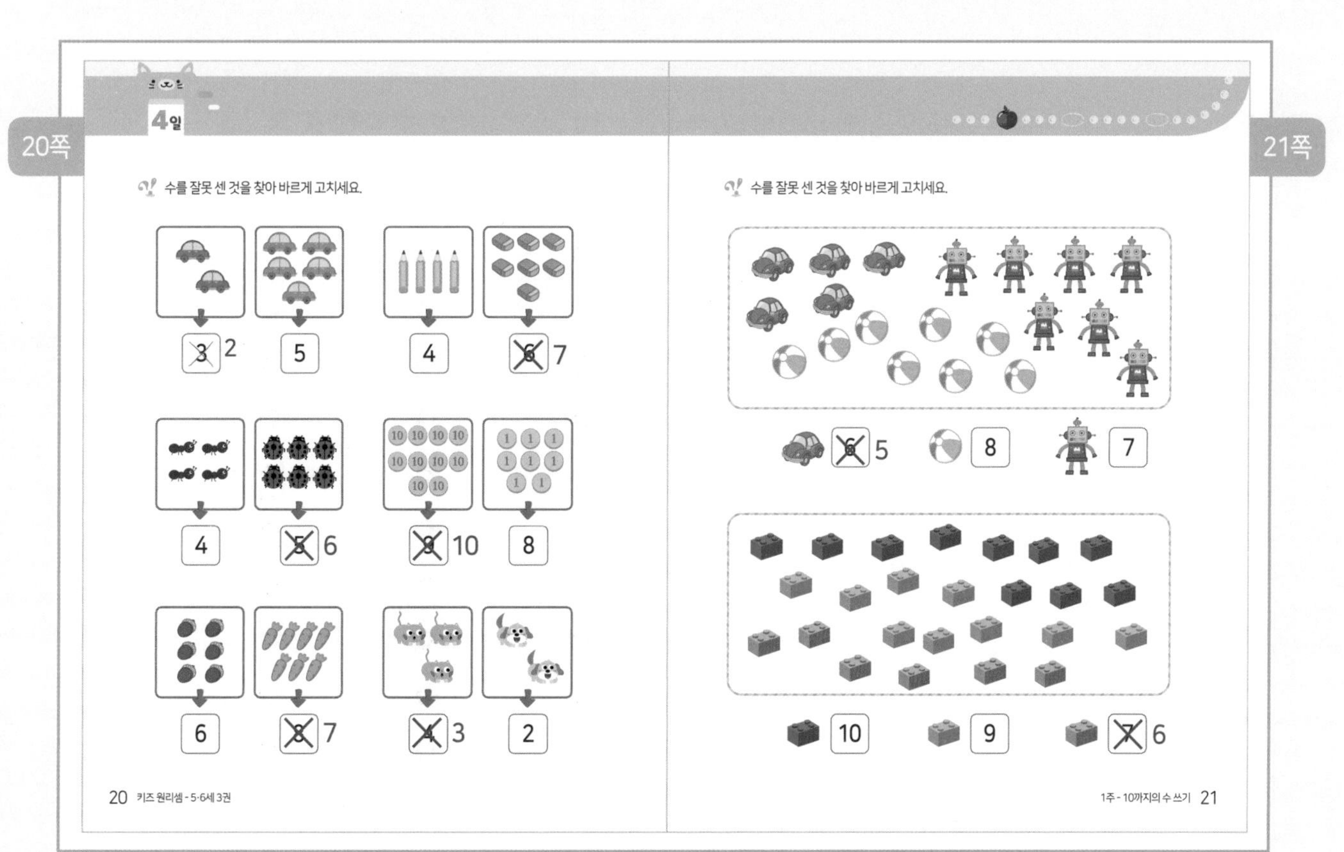
4일

수를 잘못 센 것을 찾아 바르게 고치세요.

~~3~~ 2, 5, 4, ~~6~~ 7
4, ~~5~~ 6, ~~9~~ 10, 8
6, ~~8~~ 7, ~~4~~ 3, 2

20 키즈 원리셈 - 5·6세 3권

수를 잘못 센 것을 찾아 바르게 고치세요.

~~6~~ 5, 8, 7

10, 9, ~~7~~ 6

1주 - 10까지의 수 쓰기 21

21쪽

22쪽

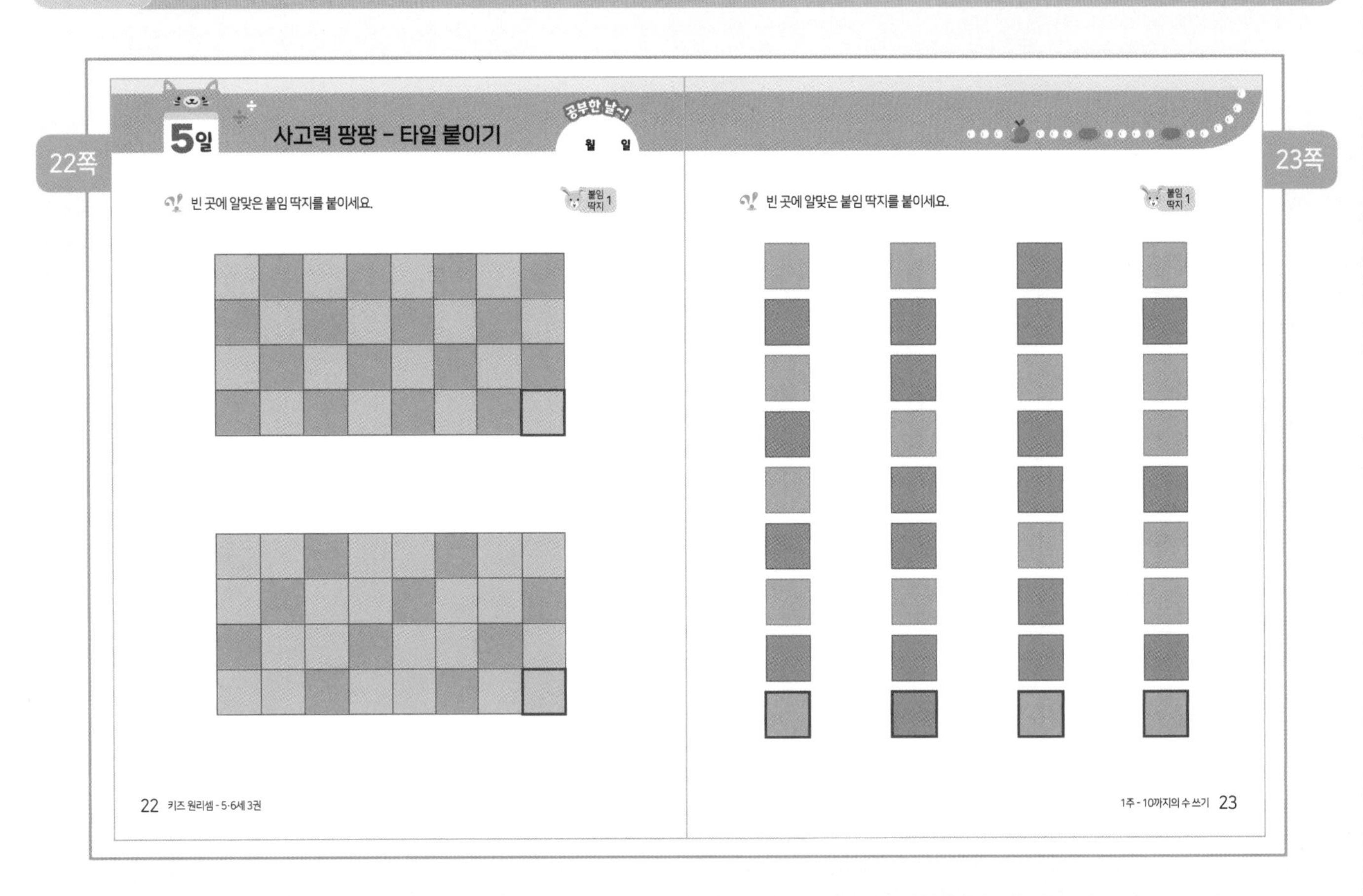

23쪽

24쪽

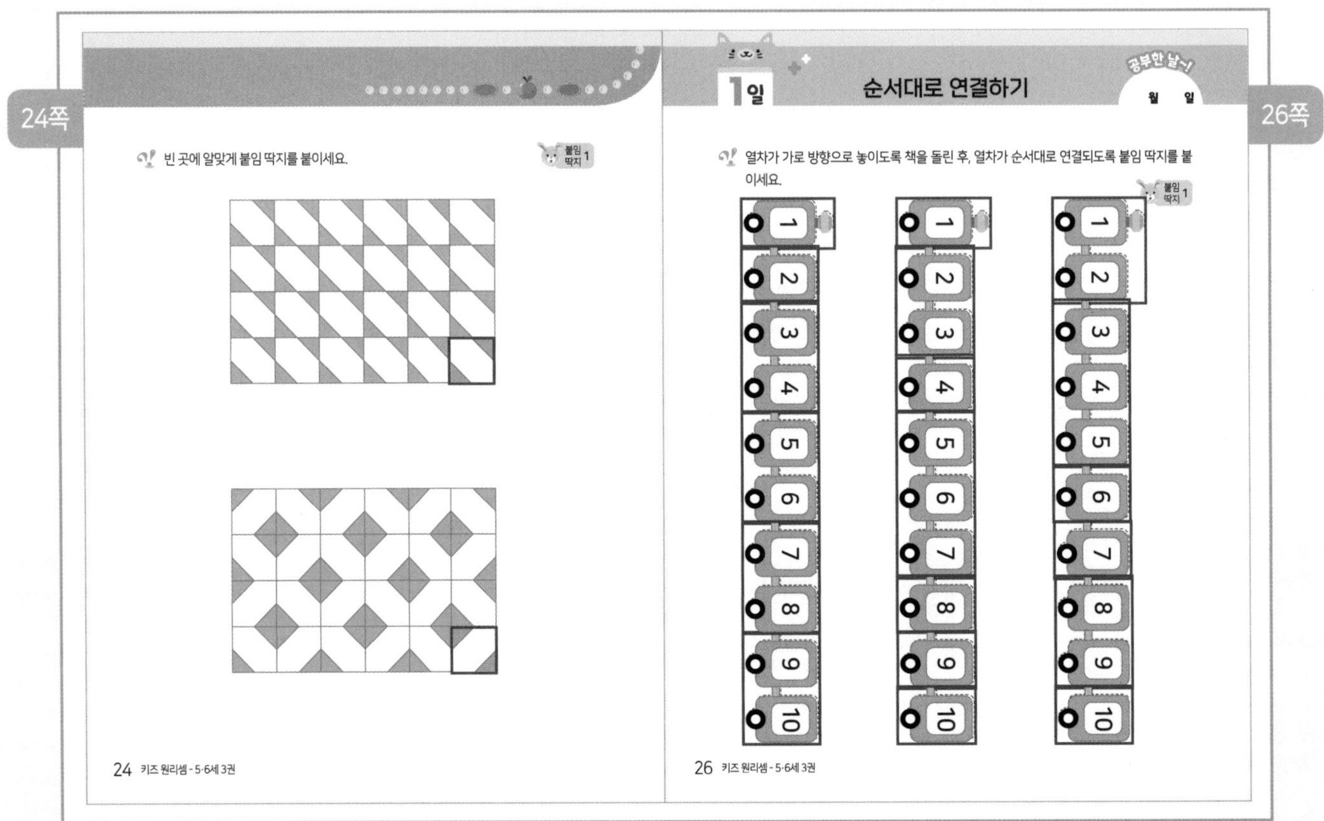

26쪽

27쪽

28쪽

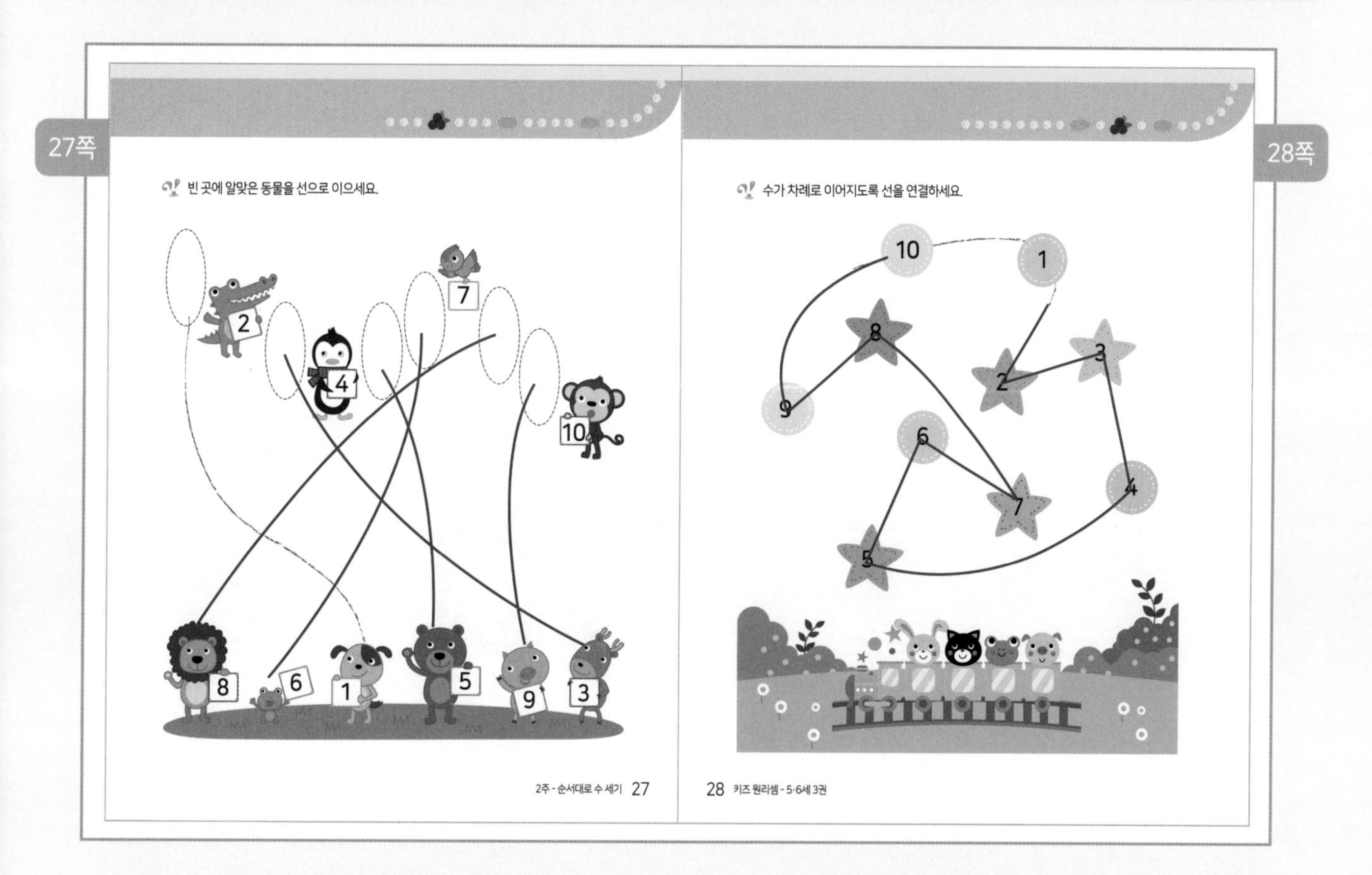

29쪽

30쪽

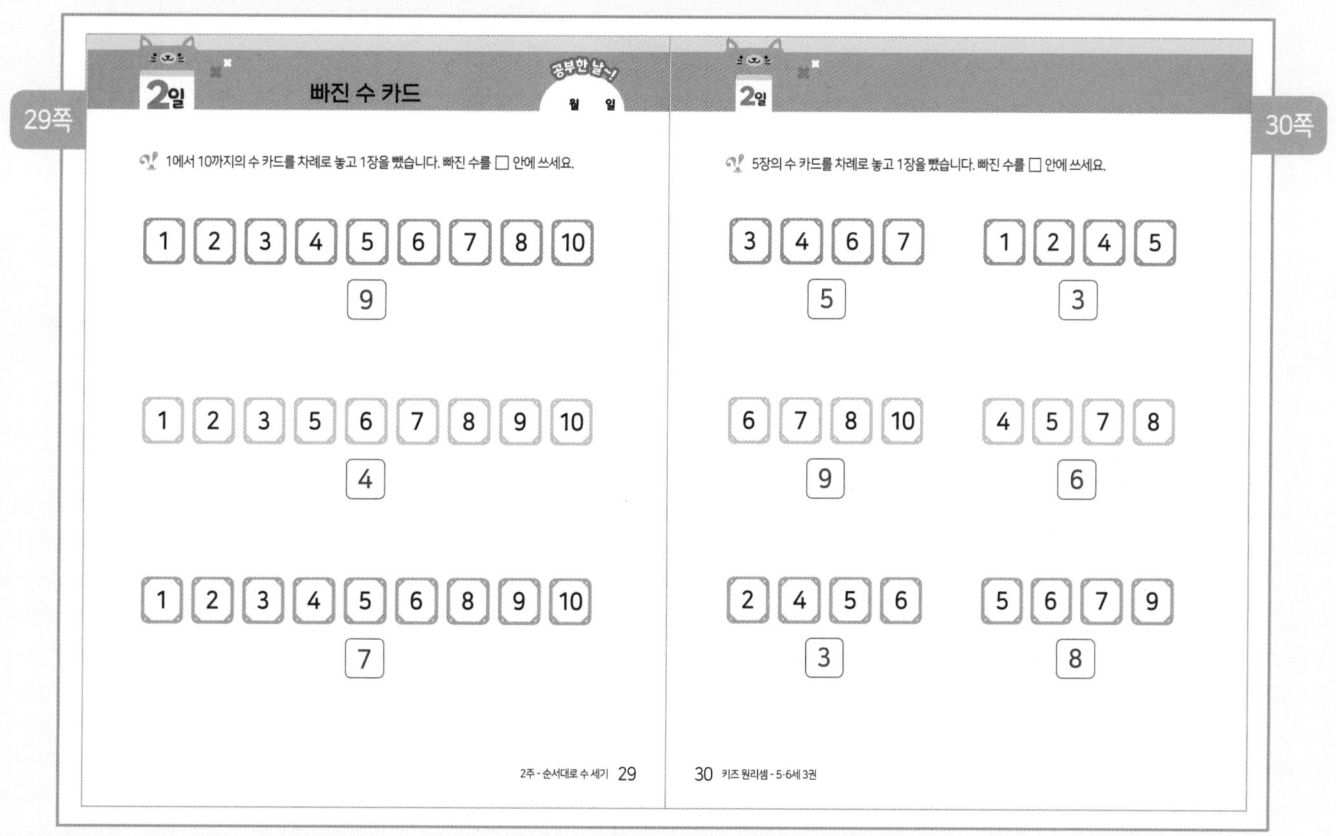

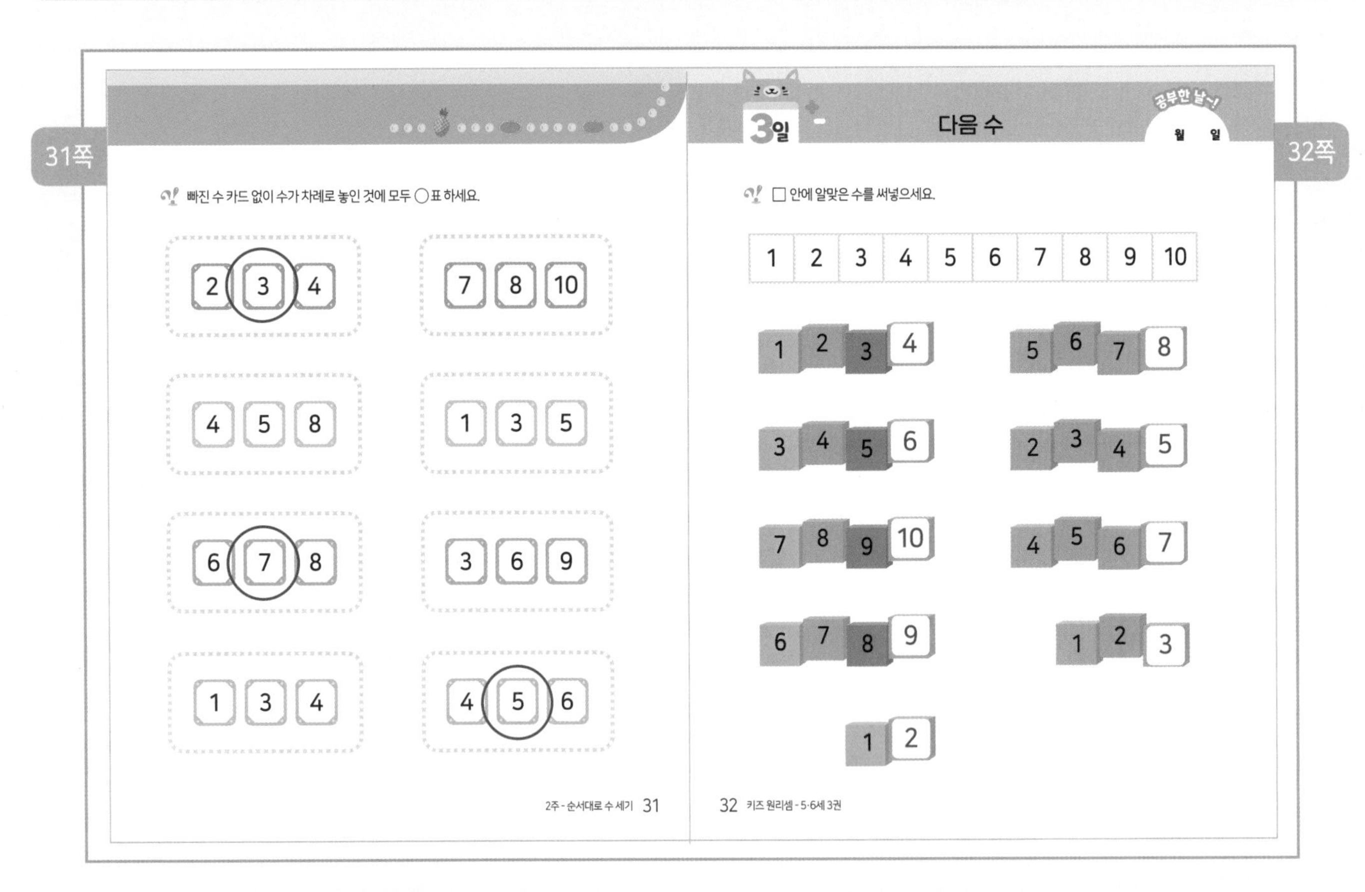
31쪽
빠진 수 카드 없이 수가 차례로 놓인 것에 모두 ○표 하세요.
2주 - 순서대로 수 세기 31
3일
다음 수
공부한 날~!
월 일
32쪽
□ 안에 알맞은 수를 써넣으세요.
32 키즈 원리셈 - 5·6세 3권

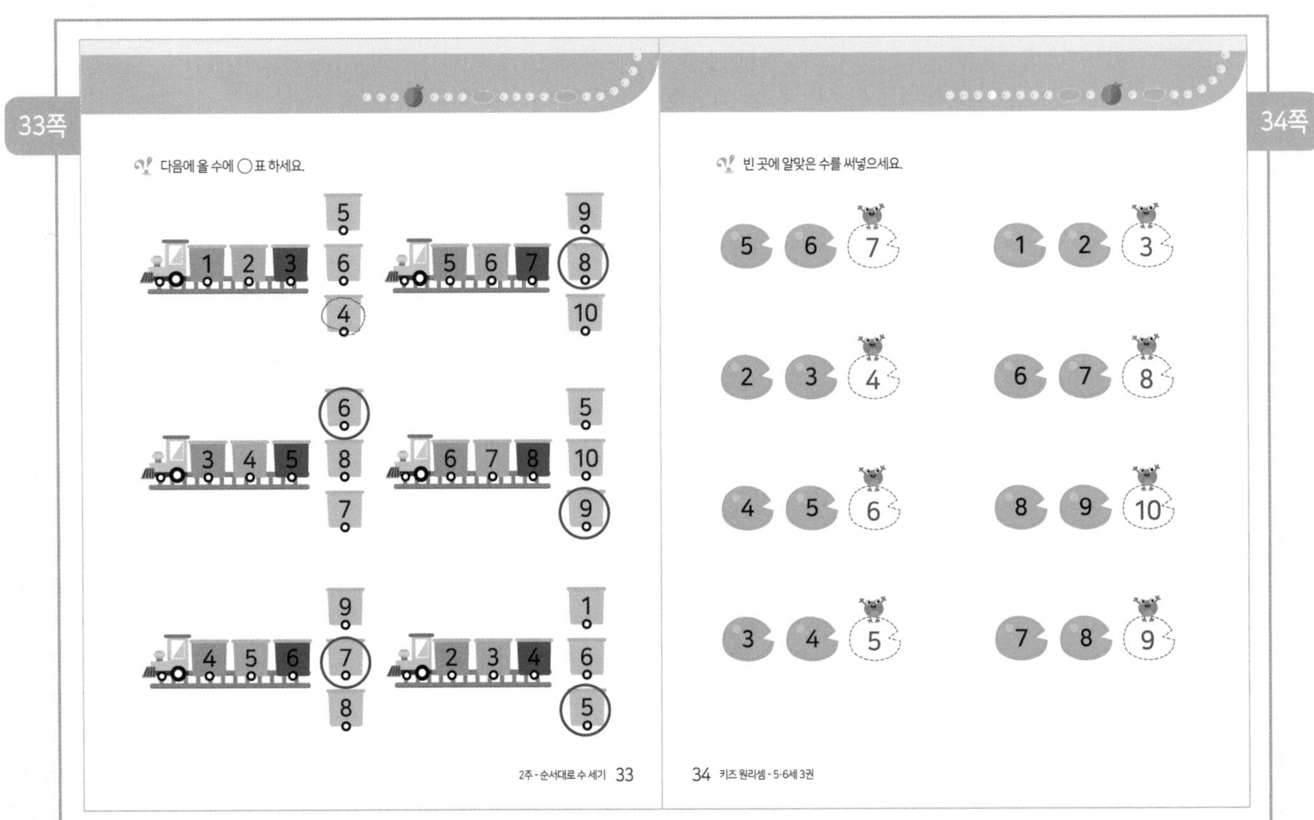
33쪽
다음에 올 수에 ○표 하세요.
2주 - 순서대로 수 세기 33
34쪽
빈 곳에 알맞은 수를 써넣으세요.
34 키즈 원리셈 - 5·6세 3권

35쪽

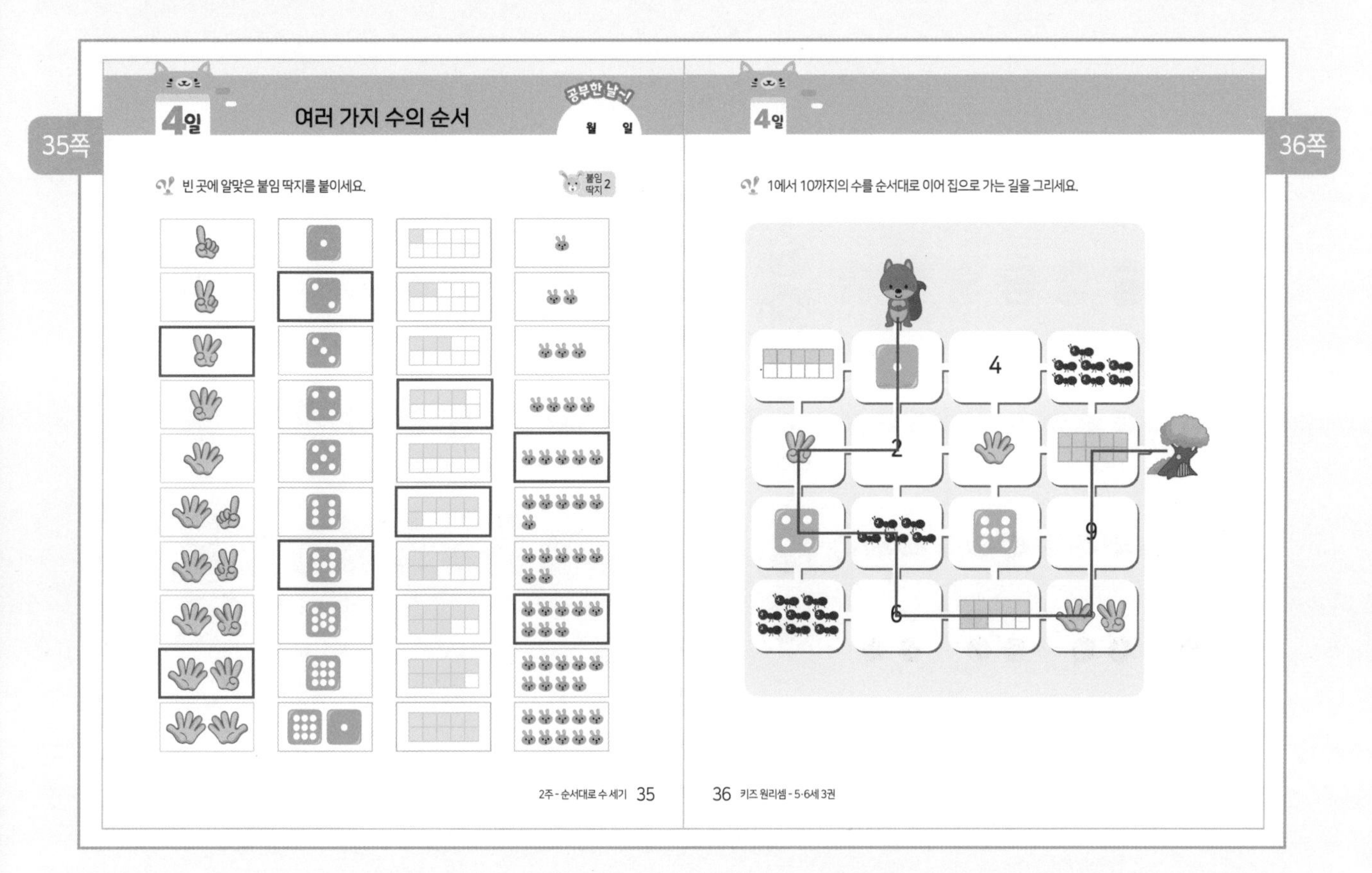

36쪽

37쪽

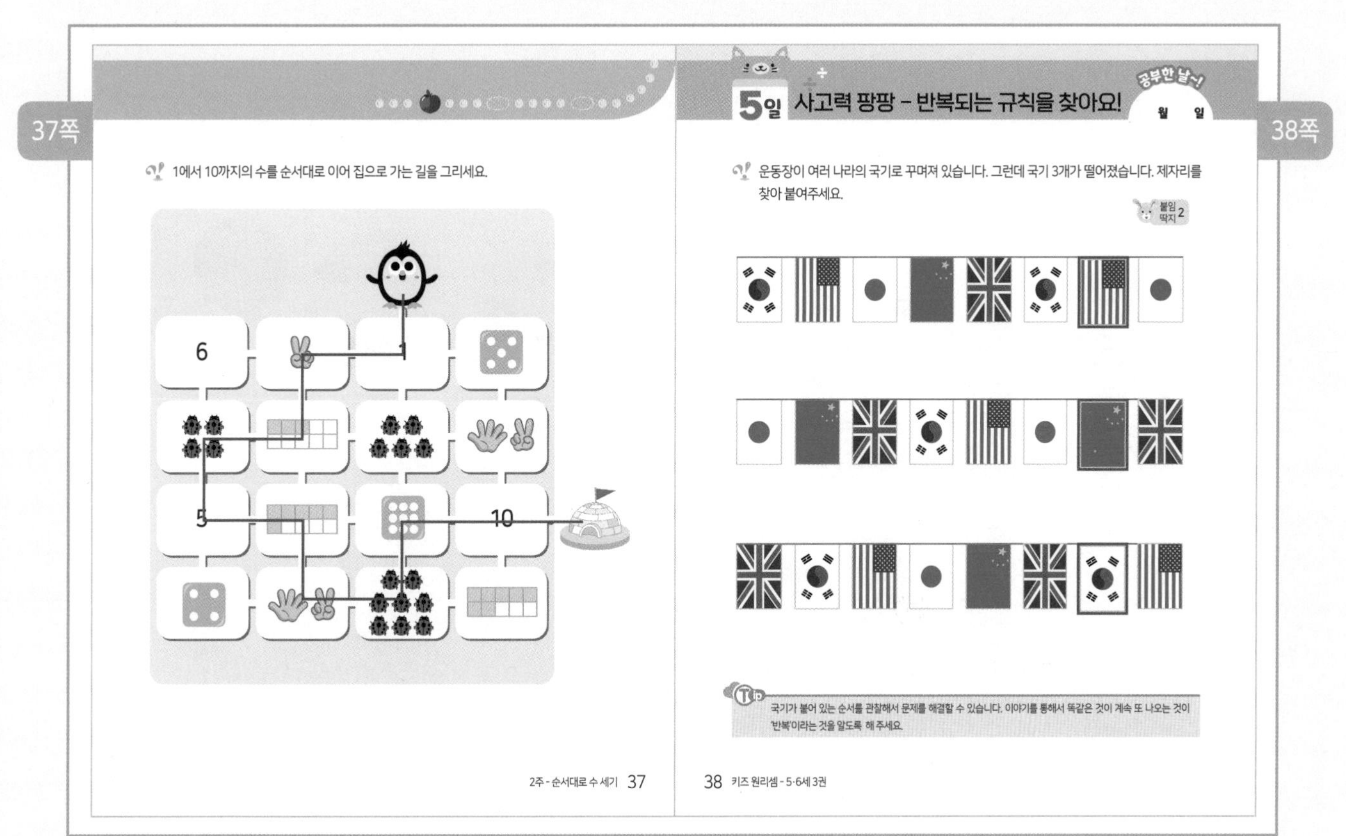

38쪽

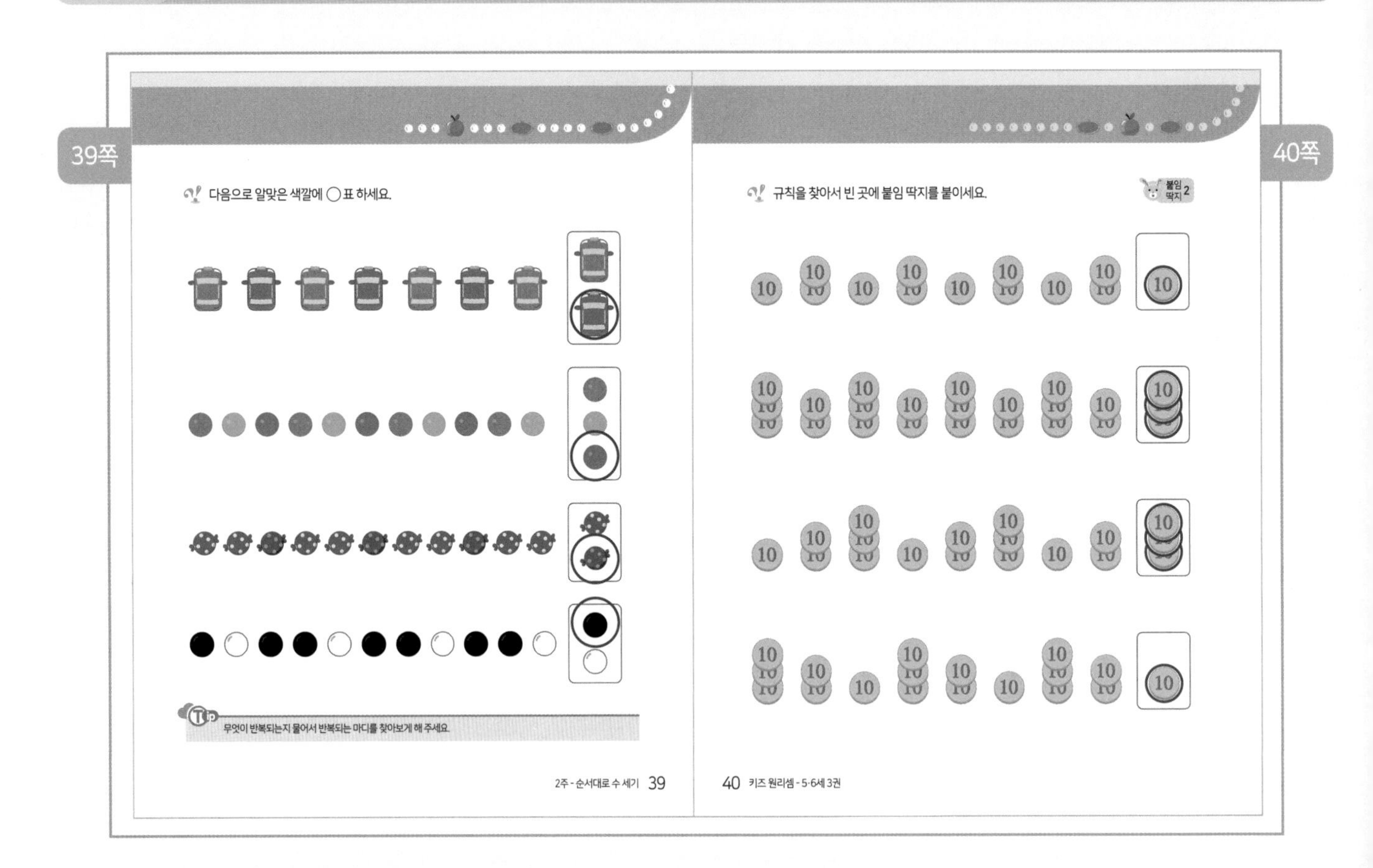
39쪽
다음으로 알맞은 색깔에 ○표 하세요.
무엇이 반복되는지 물어서 반복되는 마디를 찾아보게 해 주세요.
2주 - 순서대로 수 세기 39
40쪽
규칙을 찾아서 빈 곳에 붙임 딱지를 붙이세요.
붙임 딱지 2
40 키즈 원리셈 - 5·6세 3권

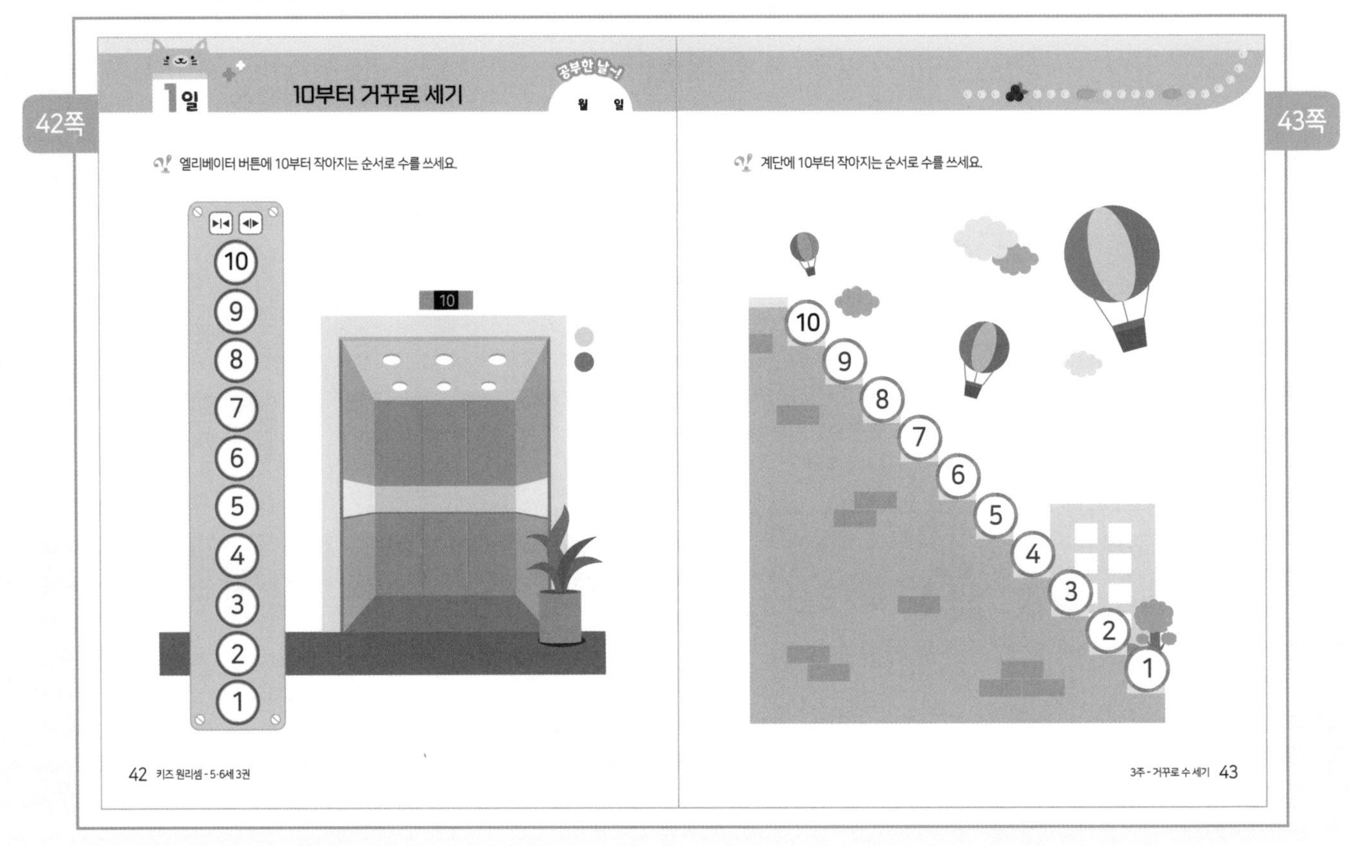
42쪽
1일
10부터 거꾸로 세기
공부한 날~!
월 일
엘리베이터 버튼에 10부터 작아지는 순서로 수를 쓰세요.
10
9
8
7
6
5
4
3
2
1
42 키즈 원리셈 - 5·6세 3권
43쪽
계단에 10부터 작아지는 순서로 수를 쓰세요.
10
9
8
7
6
5
4
3
2
1
3주 - 거꾸로 수 세기 43

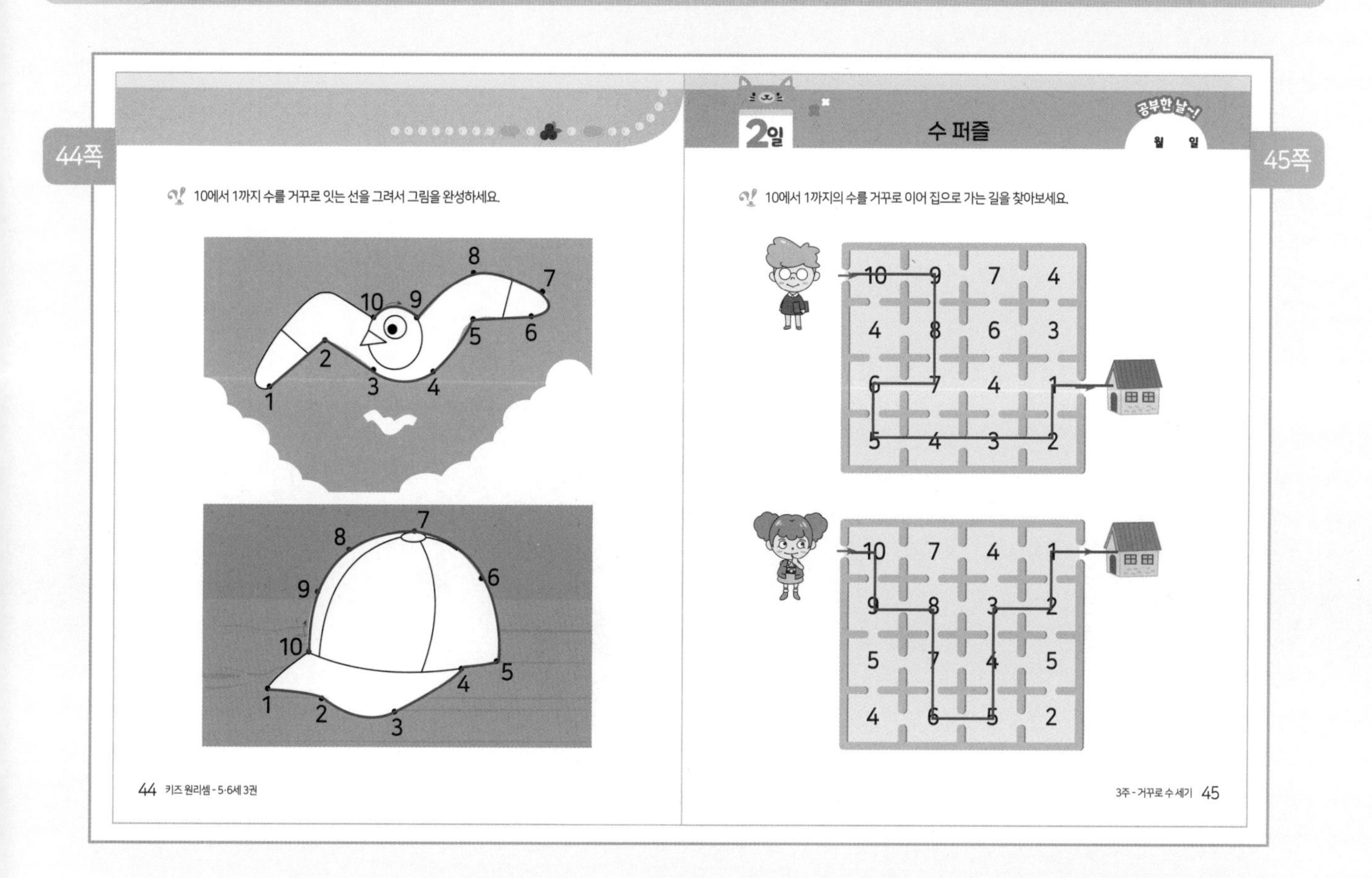
44쪽
10에서 1까지 수를 거꾸로 잇는 선을 그려서 그림을 완성하세요.
2일
수 퍼즐
45쪽
10에서 1까지의 수를 거꾸로 이어 집으로 가는 길을 찾아보세요.
44 키즈 원리셈 - 5·6세 3권
3주 - 거꾸로 수 세기 45

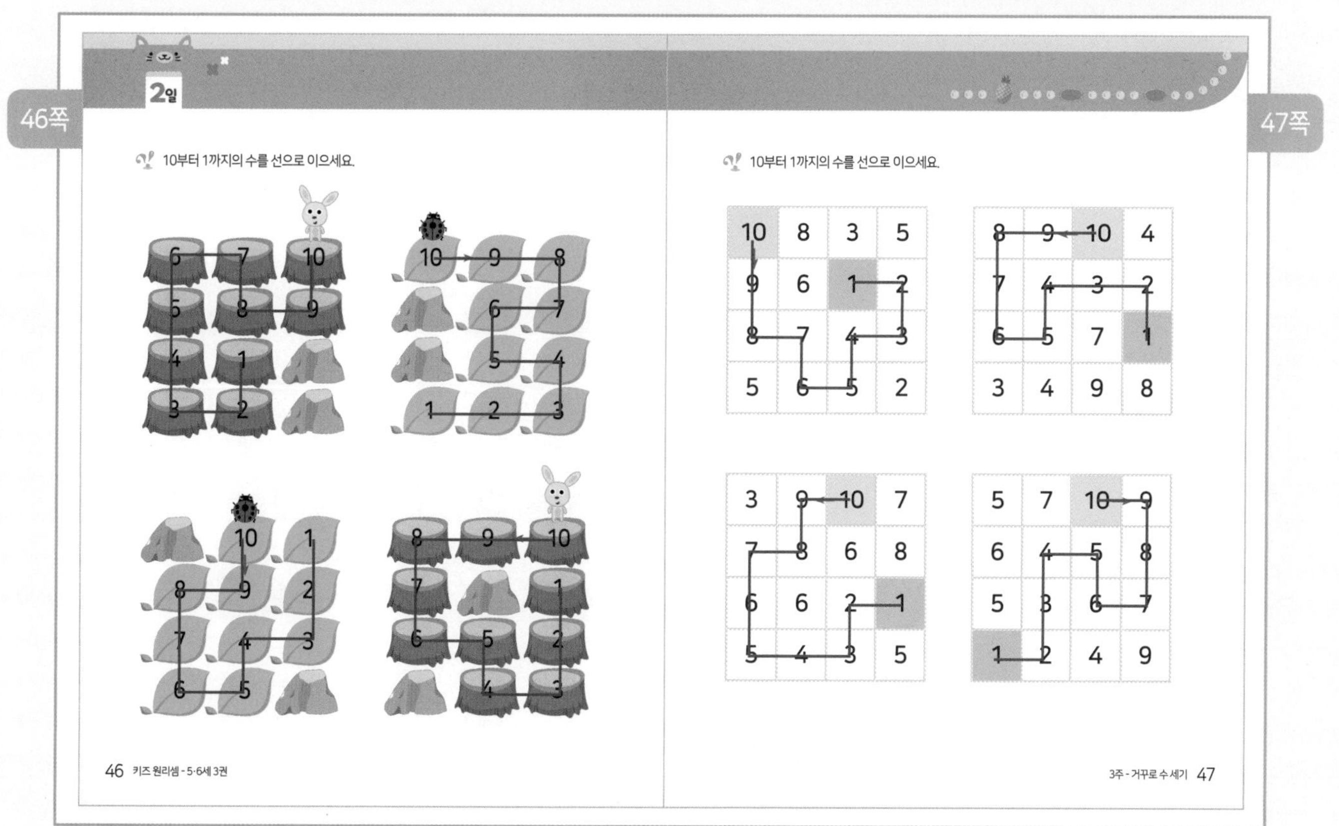
46쪽
2일
10부터 1까지의 수를 선으로 이으세요.
47쪽
10부터 1까지의 수를 선으로 이으세요.
46 키즈 원리셈 - 5·6세 3권
3주 - 거꾸로 수 세기 47

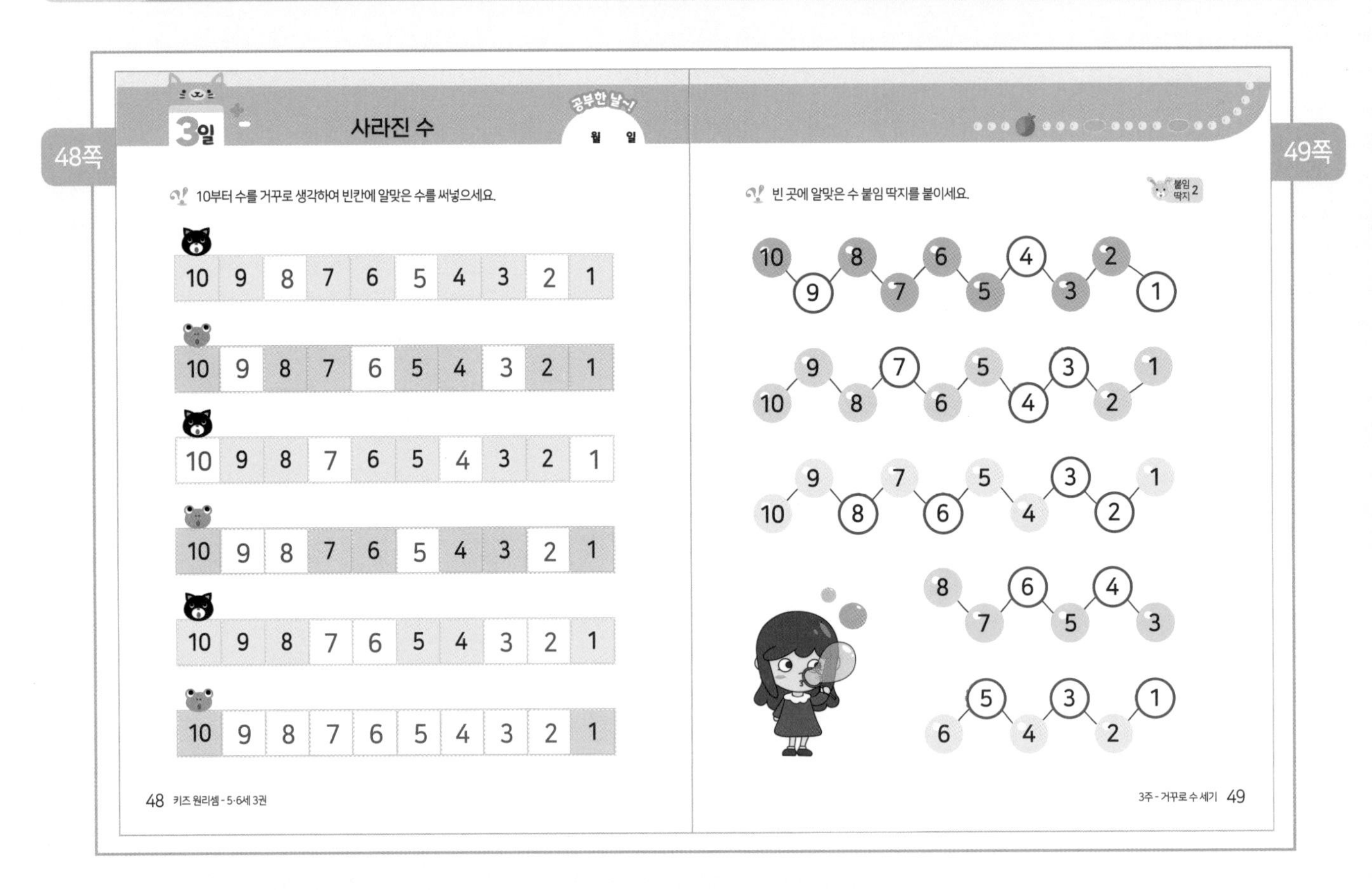

48쪽

3일 사라진 수

공부한 날~! 월 일

10부터 수를 거꾸로 생각하여 빈칸에 알맞은 수를 써넣으세요.

10	9	8	7	6	5	4	3	2	1
10	9	8	7	6	5	4	3	2	1
10	9	8	7	6	5	4	3	2	1
10	9	8	7	6	5	4	3	2	1
10	9	8	7	6	5	4	3	2	1
10	9	8	7	6	5	4	3	2	1

48 키즈 원리셈 - 5·6세 3권

49쪽

빈 곳에 알맞은 수 붙임 딱지를 붙이세요.

붙임 딱지 2

10 9 8 7 6 5 4 3 2 1

10 9 8 7 6 5 4 3 2 1

10 9 8 7 6 5 4 3 2 1

8 7 6 5 4 3

6 5 4 3 2 1

3주 - 거꾸로 수 세기 49

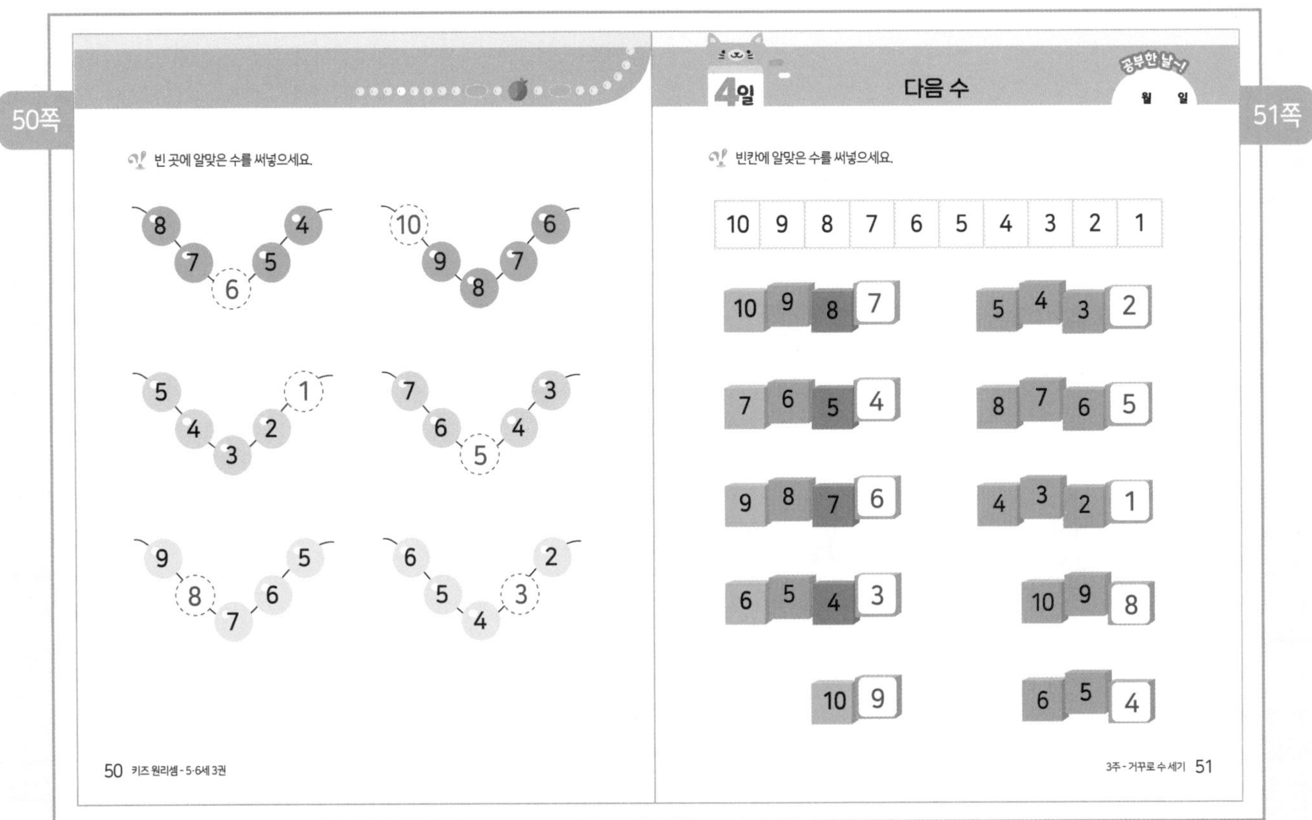

50쪽

빈 곳에 알맞은 수를 써넣으세요.

8 7 6 5 4

10 9 8 7 6

5 4 3 2 1

7 6 5 4 3

9 8 7 6 5

6 5 4 3 2

50 키즈 원리셈 - 5·6세 3권

51쪽

4일 다음 수

공부한 날~! 월 일

빈칸에 알맞은 수를 써넣으세요.

10	9	8	7	6	5	4	3	2	1

10 9 8 7 / 5 4 3 2

7 6 5 4 / 8 7 6 5

9 8 7 6 / 4 3 2 1

6 5 4 3 / 10 9 8

10 9 / 6 5 4

3주 - 거꾸로 수 세기 51

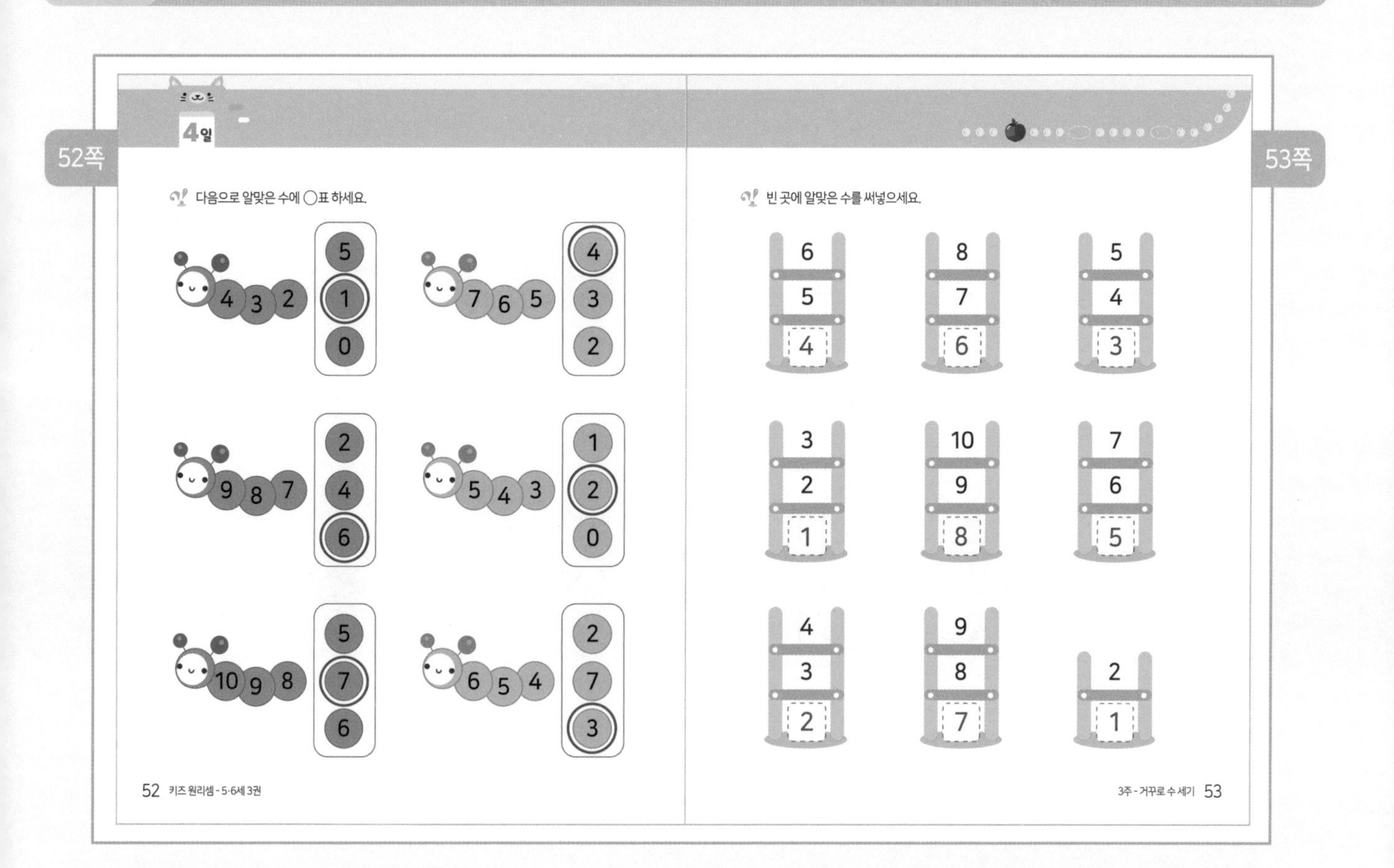

52쪽
4일
다음으로 알맞은 수에 ○표 하세요.
4 3 2
5
1
0
7 6 5
4
3
2
9 8 7
2
4
6
5 4 3
1
2
0
10 9 8
5
7
6
6 5 4
2
7
3
52 키즈 원리셈 - 5·6세 3권
53쪽
빈 곳에 알맞은 수를 써넣으세요.
6
5
4
8
7
6
5
4
3
3
2
1
10
9
8
7
6
5
4
3
2
9
8
7
2
1
3주 - 거꾸로 수 세기 53

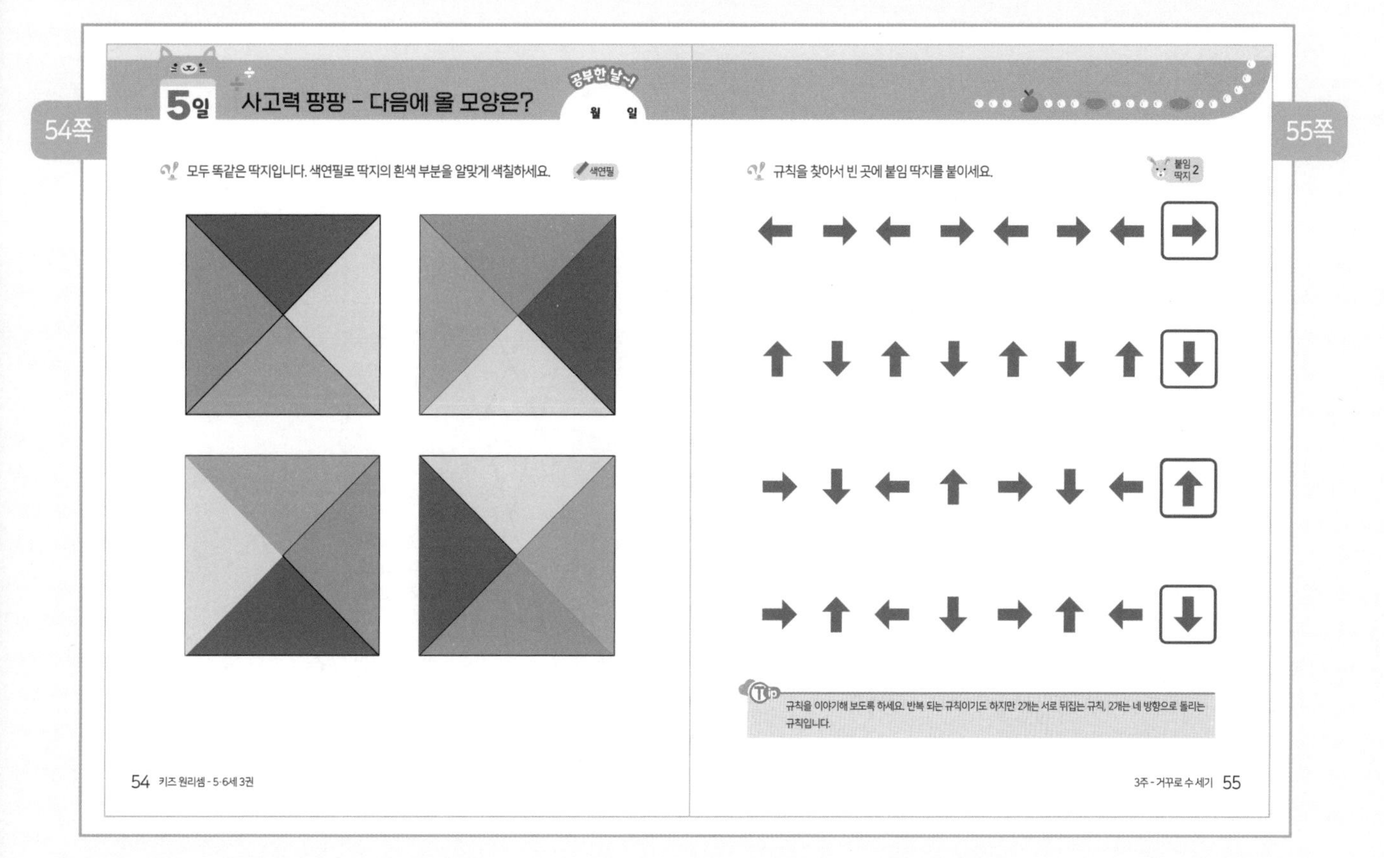

54쪽
5일
사고력 팡팡 - 다음에 올 모양은?
공부한 날~!
월 일
모두 똑같은 딱지입니다. 색연필로 딱지의 흰색 부분을 알맞게 색칠하세요.
색연필
54 키즈 원리셈 - 5·6세 3권
55쪽
규칙을 찾아서 빈 곳에 붙임 딱지를 붙이세요.
붙임 딱지 2
Tip
규칙을 이야기해 보도록 하세요. 반복 되는 규칙이기도 하지만 2개는 서로 뒤집는 규칙, 2개는 네 방향으로 돌리는 규칙입니다.
3주 - 거꾸로 수 세기 55

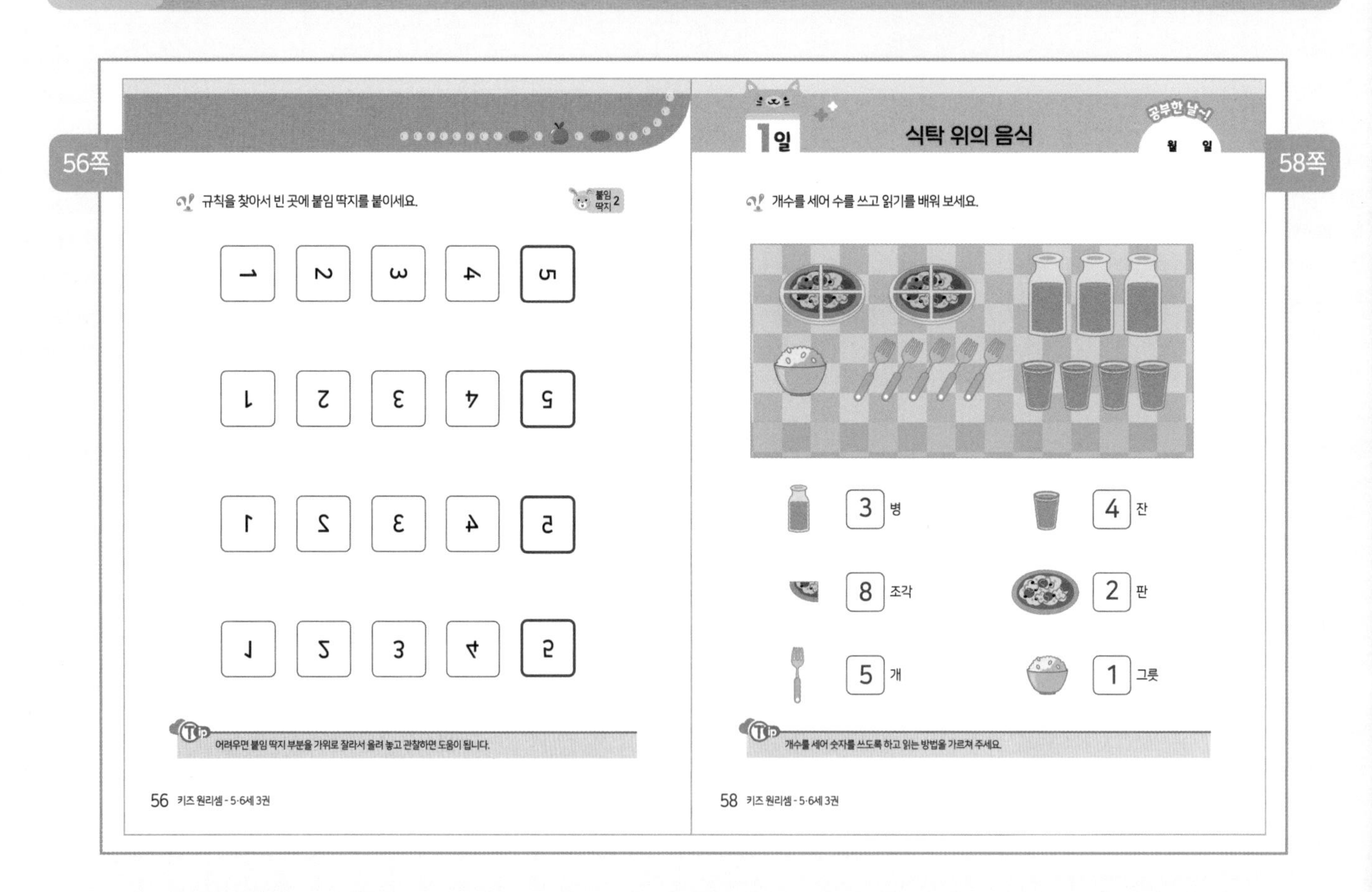
56쪽
규칙을 찾아서 빈 곳에 붙임 딱지를 붙이세요.
어려우면 붙임 딱지 부분을 가위로 잘라서 올려 놓고 관찰하면 도움이 됩니다.
56 키즈 원리셈 - 5·6세 3권
58쪽
1일 식탁 위의 음식
개수를 세어 수를 쓰고 읽기를 배워 보세요.
3 병
4 잔
8 조각
2 판
5 개
1 그릇
개수를 세어 숫자를 쓰도록 하고 읽는 방법을 가르쳐 주세요.
58 키즈 원리셈 - 5·6세 3권

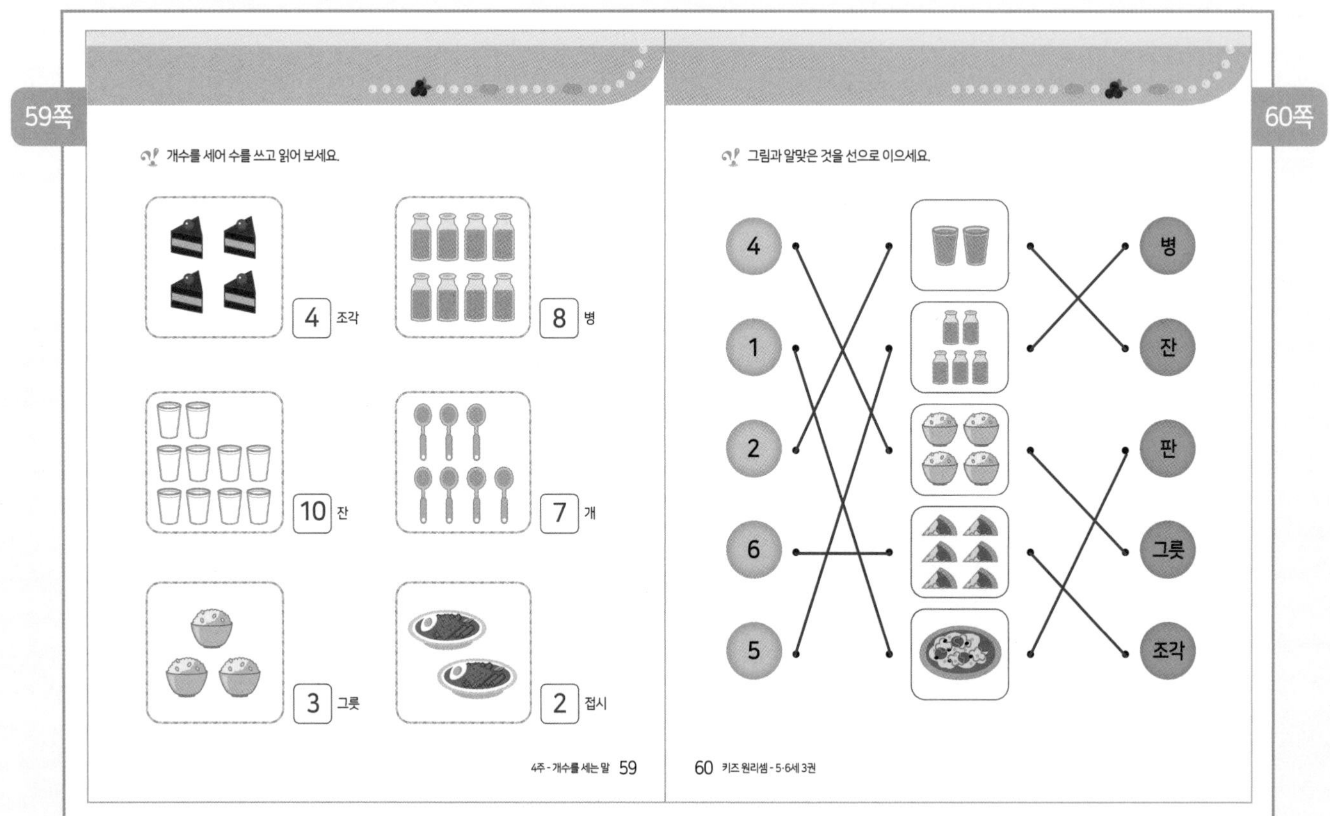
59쪽
개수를 세어 수를 쓰고 읽어 보세요.
4 조각
8 병
10 잔
7 개
3 그릇
2 접시
4주 - 개수를 세는 말 59
60쪽
그림과 알맞은 것을 선으로 이으세요.
4
1
2
6
5
병
잔
판
그릇
조각
60 키즈 원리셈 - 5·6세 3권

61쪽

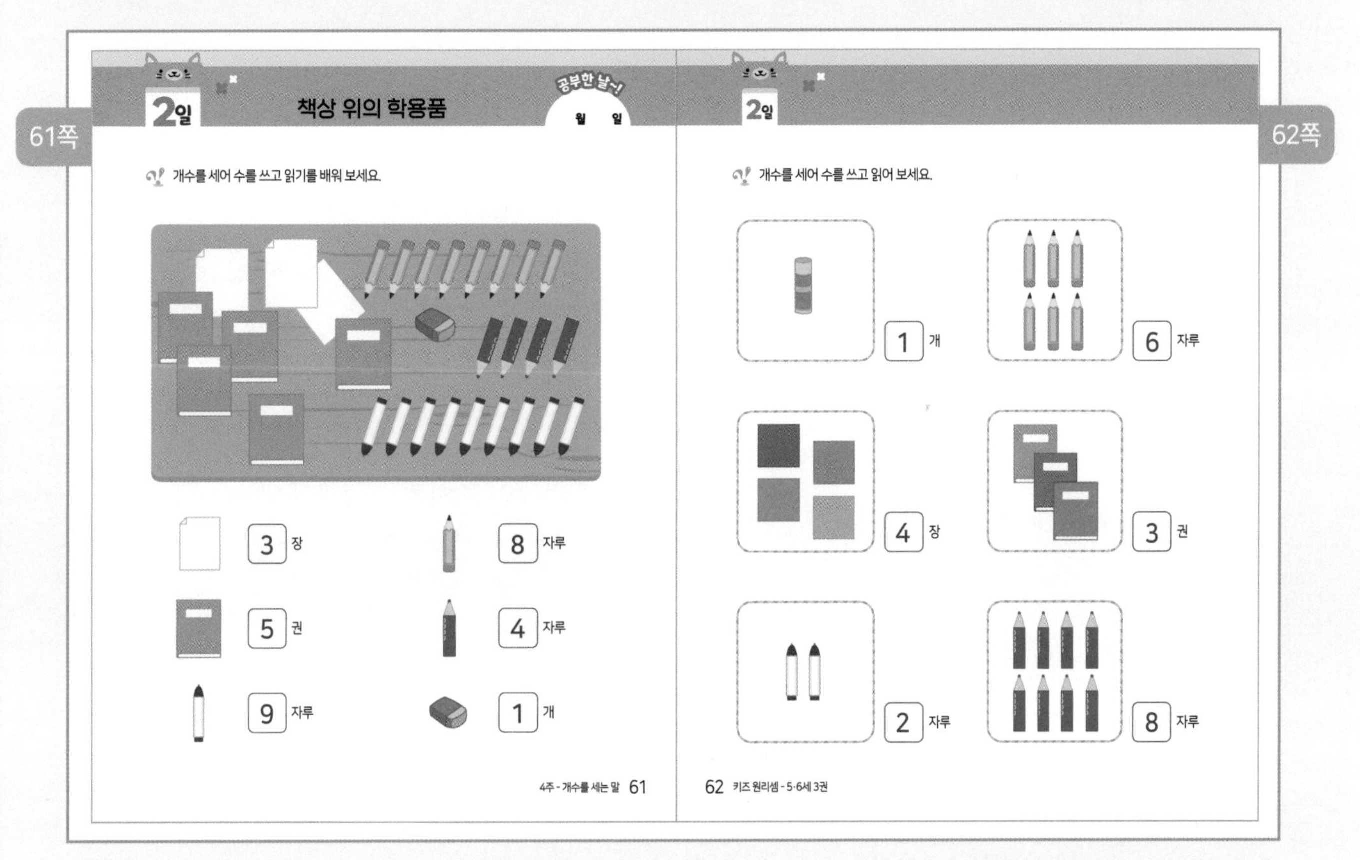

62쪽

63쪽

64쪽

65쪽
개수를 세어 수를 쓰고 읽어 보세요.
1 켤레
2 대
6 대
3 척
7 대
4 대
4주 - 개수를 세는 말 65
66쪽
그림에서 '몇 척'으로 세는 탈 것에 모두 ◯표 하고, 모두 세어 빈칸에 알맞은 수를 써넣으세요.
척은 배를 세는 단위입니다.
3 척
현관에 놓인 신발이 '몇 켤레'인지 세어 빈칸에 알맞은 수를 써넣으세요.
4 켤레
66 키즈 원리셈 - 5·6세 3권

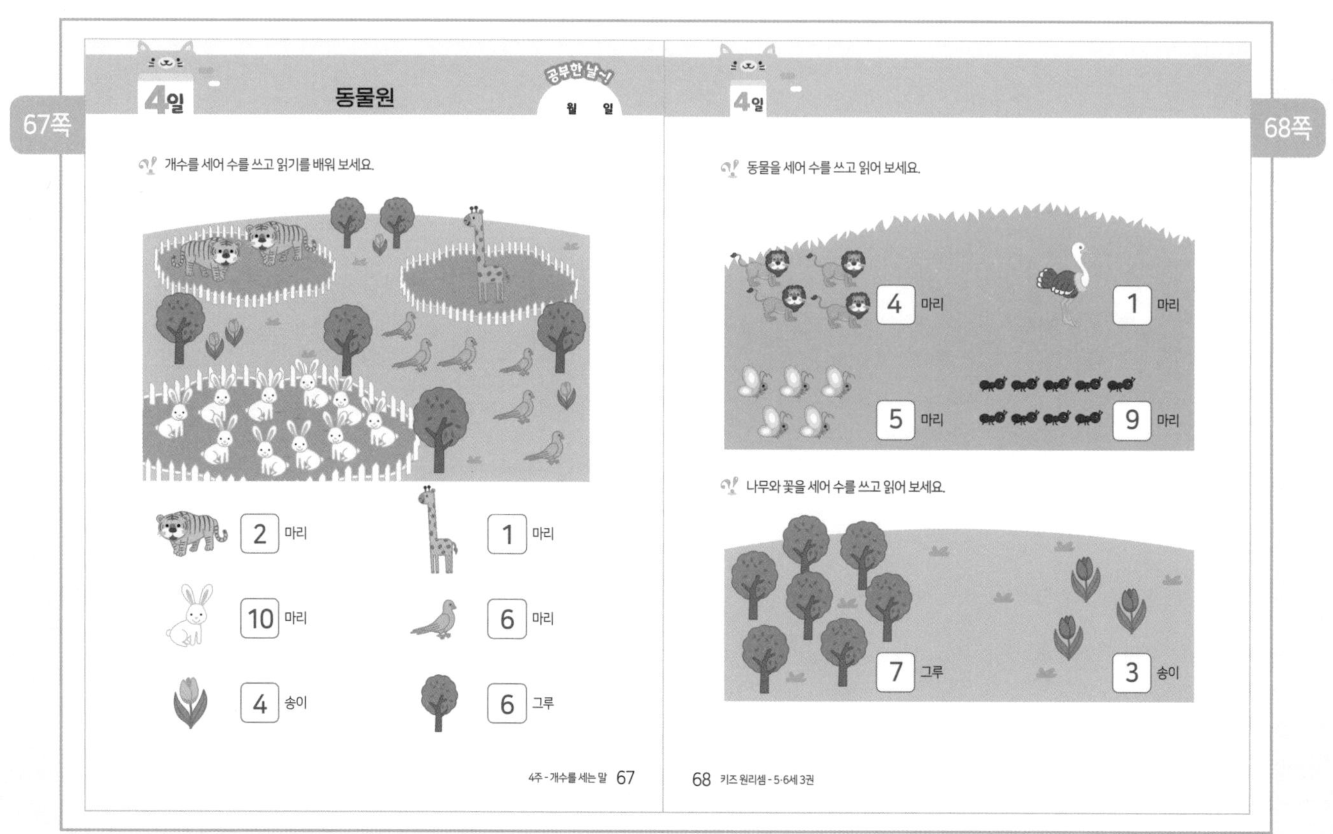
67쪽
4일
동물원
공부한 날~!
월 일
개수를 세어 수를 쓰고 읽기를 배워 보세요.
2 마리
1 마리
10 마리
6 마리
4 송이
6 그루
4주 - 개수를 세는 말 67
68쪽
4일
동물을 세어 수를 쓰고 읽어 보세요.
4 마리
1 마리
5 마리
9 마리
나무와 꽃을 세어 수를 쓰고 읽어 보세요.
7 그루
3 송이
68 키즈 원리셈 - 5·6세 3권

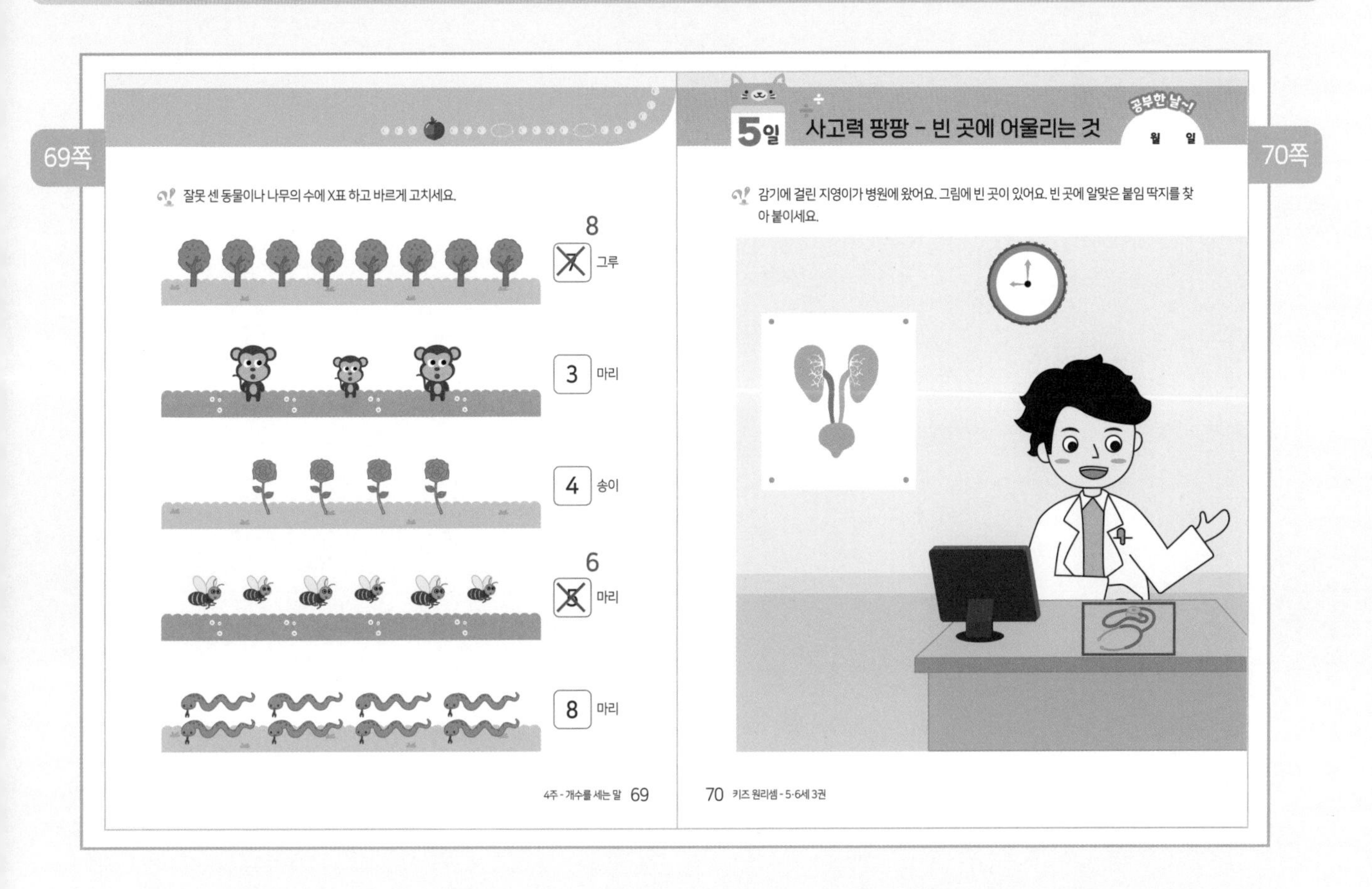
69쪽
잘못 센 동물이나 나무의 수에 X표 하고 바르게 고치세요.
8
7 그루
3 마리
4 송이
6
5 마리
8 마리
4주 - 개수를 세는 말 69
70쪽
5일 사고력 팡팡 - 빈 곳에 어울리는 것
공부한 날~! 월 일
감기에 걸린 지영이가 병원에 왔어요. 그림에 빈 곳이 있어요. 빈 곳에 알맞은 붙임 딱지를 찾아 붙이세요.
70 키즈 원리셈 - 5·6세 3권

71쪽
붙임 딱지 3
4주 - 개수를 세는 말 71
72쪽
빈 곳에 어울리지 않는 것에 X표 하세요.
빈 곳에 알맞은 붙임 딱지를 붙이세요.
붙임 딱지 3
72 키즈 원리셈 - 5·6세 3권

MEMO

세분화된 원리 학습

다양한 유형의 연습

충분한 연습

성취도 확인

천종현수학연구소의 교재 흐름도

4세	5세	6세	7세	초1	

유아 자신감 수학 : 유아 수학 입문서
- 처음에는 엄마, 아빠와 함께, 나중에는 아이 스스로
- 개념의 이해부터 적용까지

유아 자신감 수학 만 3세

유아 자신감 수학 만 4세

유아 자신감 수학 만 5세

원리셈 : 기본 연산 학습서
- 매일 10분씩 원리로부터 실력까지 연산의 완성!!
- 다양한 형태의 문제와 충분한 연습으로 쉽고 재미있게

키즈 원리셈 5, 6세

키즈 원리셈 6, 7세

키즈 원리셈 예비 초등 7, 8세

초등 원리셈 초등1

TOP사고력 : 사고력 수학의 으뜸
- 수학적 직관력 / 문제 이해력 기르기
- 영역별 나선형식 반복 학습 구조

탑사고력 K 단계

탑사고력 P 단계

탑사고력 A 단계

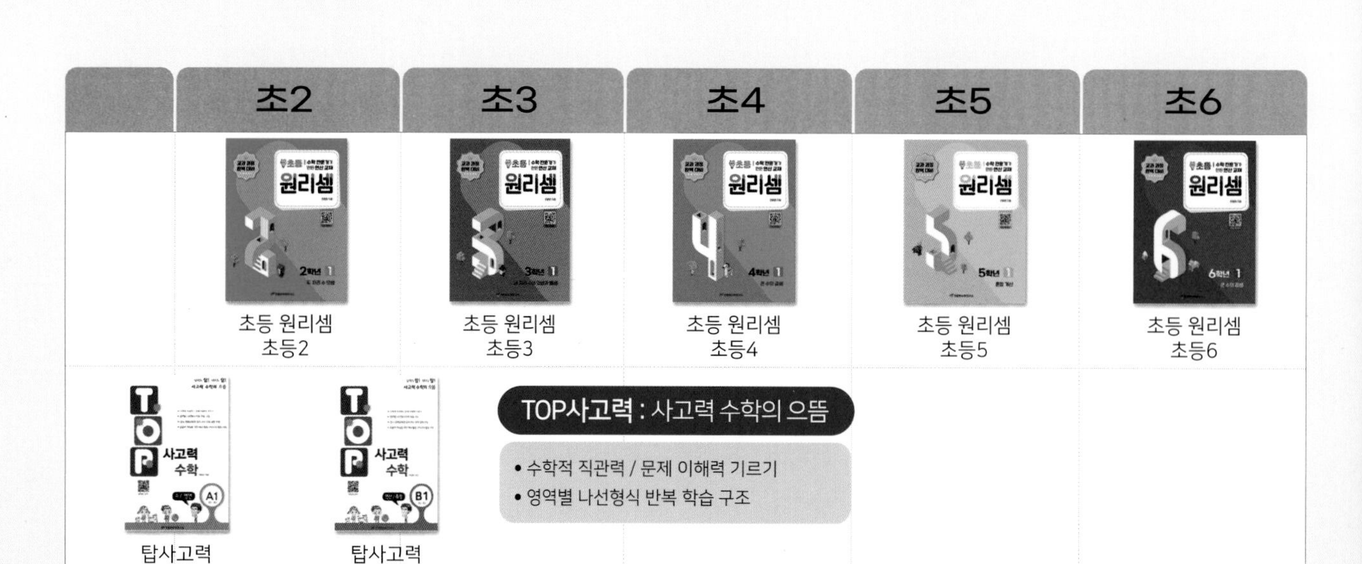

	초2	초3	초4	초5	초6

초등 원리셈 초등2

초등 원리셈 초등3

초등 원리셈 초등4

초등 원리셈 초등5

초등 원리셈 초등6

탑사고력 A 단계

탑사고력 B 단계

TOP사고력 : 사고력 수학의 으뜸
- 수학적 직관력 / 문제 이해력 기르기
- 영역별 나선형식 반복 학습 구조

초등 사고력 수학의 원리 및 전략
- 원리의 이해와 문제 해결 전략을 통한 진정한 실력 향상
- 재미있게 읽을 수 있는 초등 사고력 수학의 노하우

초등사고력 수학의 원리

초등사고력 수학의 전략